a cura di Francesca La
illustrate da Grazia N

6Storie
diFANTASMI

Arnoldo Mondadori Editore

Sommario

Grafica di copertina di Federico Maggioni

© 1975 Margaret Mahy, *Looking for a Ghost*
© 1988 Ruth Park, *Somebody Lives in the Nobody House*
© 1990 John Emlyn Edwards, *The Ghost of Jigger Jack*
© 1988 Nan Hunt, *Heirloom Children*
© 1984 Emma Tennant, *The Ghost Child*
© 1988 Jean Chapman, *The Secret of the Ghastly Bag*
© 1994 Arnoldo Mondadori Editore S.p.A., Milano, per l'edizione italiana
Traduzione di Gianni Padoan
Prima edizione gennaio 1994
Stampato presso la Arnoldo Mondadori Editore S.p.A.
Stabilimento di Verona
ISBN 88-04-37709-7

In cerca di un fantasma *di Margaret Mahy*

Sammy Scarlet arrivò di corsa
lungo il marciapiedi, come se
avesse il fuoco nelle gambe. Sal-
tellava sulla punta dei piedi, e nel
crepuscolo sembrava che danzas-
se e facesse piroette, come un uc-
cello grigio e goffo che stesse imparando a volare.
Sammy saltava e correva per farsi coraggio. Stava
andando in una casa infestata dagli spiriti. Stava andando, quella sera, a vedere un fantasma per la prima volta nella sua vita.

La casa infestata dagli spiriti era l'ultima casa della strada, e ormai cadeva a pezzi in mezzo a un giardino di erbacce. Le finestre avevano i vetri rotti e alcune erano chiuse con delle assi inchiodate in croce.
Tutt'intorno c'era un'alta staccionata, ma in qualche
punto le tavole erano cadute.

«Presto faranno venire un bulldozer e abbatteran-
no tutto» diceva l'uomo del negozio all'angolo.
«Questa è una zona commerciale e i terreni valgono
molto.»

«Davvero è infestata dagli spiriti?» gli aveva chiesto Sammy.

«Dicono che c'è un fantasma, ma appare soltanto la sera, quando i negozi sono chiusi e la maggior parte della gente è andata a casa. Io non l'ho mai visto» aveva detto l'uomo del negozio dell'angolo «e non ho l'abitudine di gironzolare, la sera, per spiare i fantasmi. E poi, a quando dicono, è un fantasma molto piccolo, una cosetta da nulla.»

"Un fantasma che appare soltanto verso sera" si era detto Sammy, e aveva avuto l'impressione di sentire un soffio freddo sul collo e un sussurro di labbra gelide negli orecchi.

Mentre Sammy correva a perdifiato, la sera stava appena calando sulla città. Il ragazzo aveva scelto il momento con cura: non era ancora troppo buio perché sua madre stesse in pensiero per lui, e non troppo chiaro per un piccolo, freddo fantasma.

"Non ci starò a lungo" pensò Sammy, mentre correva e saltava per scacciare la paura che correva al suo fianco.

"Se torno indietro adesso, sono un fifone" pensò Sammy, e riprese a correre. "Ho giurato a me stesso che avrei visto un fantasma e sto andando a vedere un fantasma!"

Conosceva bene la strada, ma la sera la rendeva diversa. Sembrava (Sammy lo notò con sorpresa) che fosse diventata piú lunga e piú vuota. Alla fine della strada la casa infestata lo stava aspettando.

Sammy poté vedere il cancello e le tavole cadute della staccionata. Accanto al cancello qualcosa si muoveva e Sammy trasalí, mentre i suoi salti si confondevano con i salti del suo cuore. Ma l'ombra accanto al cancello era soltanto una bambina che faceva rimbalzare una palla con un bastone. Guardò Sammy che andava di corsa verso di lei.

«Ciao» disse lei. «Pensavo che nessuno sarebbe venuto qui, di sera.»

«Io sono venuto» disse Sammy, ansimando. «Sono venuto a vedere il fantasma.»

La bambina lo fissò con i suoi occhi neri.

«Un vero fantasma?» domandò. «Che fantasma?»

«Un fantasma che infesta questa casa» rispose Sammy.

5

Era contento che ci fosse qualcuno con cui scambiare due parole, anche se si trattava di una bambina con una palla a righe in una mano e un bastone nell'altra. Lei girò lo sguardo verso la casa.

«Questa casa è infestata?» chiese ancora. «Sí, direi anch'io che ha l'aria di essere un po' infestata. Ci sono ragnatele dappertutto e il giardino è pieno di cardi. Ma tu non hai paura del fantasma?»

«No, i fantasmi non mi spaventano» affermò Sammy, disinvoltamente (o, quanto meno, sperando che la sua voce avesse un tono disinvolto). «C'è gente che muore di paura se ne vede uno, lo so; ma io no, puoi star sicura. Adesso entro attraverso la staccionata e do un'occhiata in giro. Dicono che qui ci sia un solo fantasma.»

«Perché non provi a entrare dal cancello?» suggerí la bambina, spingendone il battente con un'estremità del suo bastone.

Il cancello si aprí con un cigolio. Sammy rimase stupito.

«Che strano» disse. «Quando l'ho esaminato prima, era chiuso a chiave.»

«Vengo con te» disse la bambina. «Mi chiamo Belinda e piacerebbe anche a me vedere un fantasma.»

«Non credo che sia il caso» Sammy si acciglió «perché i fantasmi possono essere orribili, sai… con denti affilati e artigli e risate agghiaccianti. E tutti ossa, anche!»

«Non c'è nulla di male nell'essere tutti ossa» disse Belinda.

Lei era molto magra, con la faccia pallida e seria e lunghi capelli castani. Anche se non sorrideva mai, sembrava interessata e amichevole. Portava grosse scarpe che facevano apparire le sue gambe ancora piú magre; e gli abiti erano troppo larghi per lei, pensò Sammy. E la gonna era senza dubbio troppo lunga, il che dava alla bambina un aspetto piuttosto antiquato.

«Se essere tutti ossa fa paura» aggiunse Belinda «dovrei essere io a spaventare il fantasma. Comunque il cancello è aperto e se voglio posso entrare.»

Si mosse verso il vecchio giardino, con Sammy dietro, un po' immusonito perché lei si era intrufolata in quella che secondo lui era una sua impresa personale, ma anche sollevato di avere compagnia. Quando oltrepassarono il cancello Sammy avvertí un soffio di aria fredda sul collo. Si girò di scatto, ma non vide nulla. Forse era soltanto un alito di vento che era entrato con loro nel giardino deserto.

«Un giardino di cardi lanuginosi e di denti di leone» disse Belinda. «Un giardino solo per gli uccelli e gli scarafaggi e i fantasmi.»

Sembrava che le piacesse molto.

«L'erba mi arriva quasi alle spalle» aggiunse. «Un fantasma potrebbe facilmente nascondersi qui in mezzo e sbucare davanti a noi come una nuvoletta di fumo.»

Sammy osservò l'erba con espressione un po' tesa, quasi si aspettasse che una forma fumosa ne emergesse gonfiandosi come un'onda e agitando le braccia verso di lui. Niente fumo, niente rumori. Tutto era molto silenzioso. Si potevano sentire le auto che passavano in lontananza e il ronzio dei moscerini che sciamavano tutt'intorno. Il ragazzo si incamminò lungo un vialetto lastricato di mattoni e si fermò davanti alla facciata della casa infestata dagli spiriti, osservando la malinconica veranda. Uno dei pilastrini intagliati aveva ceduto e la veranda si era abbassata con esso.

«Credo che sia pericoloso stare su questa veranda» osservò Sammy. «Sembra cosí malandata!»

«Corre piú pericolo la veranda!» disse lei, seria. Sta' attento a come posi i piedi sui gradini e vieni su, Sammy. Dobbiamo entrare: penso che sia piú facile trovare un fantasma dentro che fuori, non ti pare?»

«La porta sarà chiusa a chiave» disse Sammy; poi chiese, con aria stupita: «Ma tu come fai a sapere il mio nome?»

«Hai l'aria di uno che si chiama cosí» si limitò a rispondere lei.

7

Belinda spinse la porta che si aprí lentamente, come una bocca nera pronta a ingoiarli.

«Meglio restar fuori» disse Sammy. «Il pavimento potrebbe cedere o cose del genere.»

La sua voce era bassa e riecheggiava appena nel silenzio della casa e del giardino.

«Non c'è da aver paura» gli disse Belinda, gentile. «Non è che una vecchia casa vuota, e un tempo le case venivano fatte di legno buono.»

Si infilò nella porta scura e svaní. Sammy dovette seguirla, e fu cosí che si prese un terribile spavento.

Si trovava in una stanza talmente buia che non riusciva a vedere quasi nulla, tranne una figura scura e polverosa al lato opposto della sala, che si muoveva verso di lui.

«Il fantasma!» gridò Sammy.

Belinda si girò a guardarlo. Lui non riuscí a vederla bene in faccia, ma gli sembrò che stesse ridendo di lui.

«Non è un fantasma» gli disse la bambina. «È solo uno specchio. Là in fondo c'è un armadio con uno specchio sull'anta. Quella che ti ha spaventato è la tua stessa immagine.»

Sammy aguzzò gli occhi e vide che lei aveva ragione. I due attraversarono la stanza con cautela. Lo specchio adesso rifletteva la porta aperta dietro di loro. Dentro era cosí buio che la sera, all'esterno, al confronto appariva brillante come una perla.

Sammy passò un dito sullo specchio, che si mosse con un lieve gemito.

«Il fantasma!» ansimò Sammy.

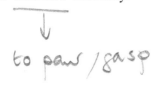

Ma era soltanto la porta socchiusa dell'armadio, che quando Sammy l'aveva toccata aveva cigolato.

«Andiamo al piano di sopra» disse Belinda. «Questa scala un tempo era molto bella. Veniva lucidata ogni giorno.»

«Come fai a saperlo?» chiese Sammy, guardando la scala buia.

«Sotto la polvere i gradini sono ancora lucidi» spiegò lei «lucidati dal sali e scendi dei piedi e dallo strofinaccio. Ma questo succedeva molto tempo fa.»

«Come fai a vedere dove metti i piedi?» si stupí Sammy. «È cosí buio!»

«C'è abbastanza luce» rispose lei, che era già qualche gradino sopra di lui.

Sammy la seguí. Dal buio sbucò una mano, morbida e silenziosa come le ombre, che gli carezzò la faccia con le dita di seta.

«Il fantasma!» gridò Sammy per la terza volta.

«Ragnatele, semplici ragnatele!» replicò Belinda.

Sammy si toccò la faccia. Le sue dita, tremanti di spavento, trovarono solo ragnatele, proprio come aveva detto Belinda. Lui inciampò e arrancò dietro di lei, fino al pianerottolo. Là c'era una finestra sbarrata con delle tavole. Era facile sbirciare attraverso le fessure e guardare dall'alto il giardino pieno di cardi e la strada deserta.

«Là c'era dell'erba» mormorò Belinda, sbirciando giú. «Erba e mucche che pascolavano. Molto e molto tempo fa.»

Lei andò avanti.

«Entriamo da questa porta» disse.

Sammy non voleva essere lasciato indietro. Attraverso la porta entrarono in una piccola stanza. Alcune assi si erano staccate dalle finestre e la luce della sera illuminava le pareti e striava il soffitto. C'erano i resti sbrindellati di tende verdi e una sedia a dondolo mezzo rotta. Seduta sulla sedia c'era una bambola molto vecchia. Si sarebbe detto che qualcuno l'avesse appena messa giú e fosse andato fuori a giocare. La bambola, a sua volta, dava l'impressione di aspettare che qualcuno tornasse, per ricominciare a giocare.

Sammy guardò intorno nella stanza e fuori, attraverso la finestra.

«Qui non c'è nessun fantasma» disse «e si sta facendo tardi. Io devo andare.»

Non gli importava piú del fantasma come qualche minuto prima, ma pensò che non avrebbe mai dimenticato la casa silenziosa e cadente e il suo giardino incolto, neppure quando avrebbe smesso di pensare ai fantasmi.

Scesero dalle scale e stavolta Sammy non sobbalzò a causa delle ragnatele. Passarono oltre lo specchio e lui stavolta fece cigolare apposta la porta dell'armadio. Adesso il rumore non lo spaventò. Era lieve e lamentoso, non forte o minaccioso.

«Non vuole essere disturbato» disse Belinda.

Uscirono dalla stanza e Sammy, prima di tirarsi dietro la porta, si girò per fare un cenno di saluto con la mano alla sua immagine riflessa nello specchio. Il riflesso gli restituí il saluto, dal fondo del lungo tunnel d'ombra.

Fuori, la sera si stava facendo piú buia. Adesso si vedevano brillare le stelle.

«Non c'è nessun fantasma!» disse Sammy, scuotendo la testa.

Raggiunsero il cancello.

«Tornerai una di queste notti, a cercare il fantasma?» chiese Belinda.

«Penso proprio di no» rispose Sammy. «Io non credo veramente ai fantasmi. Avevo soltanto pensato che avrebbe potuto essercene uno. Ho dato un'occhiata e ho visto che non c'è niente, e questo mi basta.»

11

Si girò per correre via, ma gli venne in mente qualcosa che lo fece fermare di colpo. Si girò bruscamente verso Belinda:

«Hai visto il tuo riflesso in quello specchio?» domandò, pieno di curiosità. «Io non ricordo di averlo visto.»

Belinda rispose con un'altra domanda:

«Tutti hanno un riflesso, non è cosí?»

Nella tarda sera si stentava a vederla, ma ancora una volta Sammy ebbe l'impressione che stesse ridendo di lui.

«Tu hai salito le scale per prima» riprese. «Perché non hai dovuto spostare le ragnatele?»

«Io non sono alta come te» rispose Belinda.

Sammy la fissò, aspettando che gli dicesse qualche altra cosa. Per un istante, sentí di nuovo il soffio leggero di aria fredda sul collo.

«Niente fantasmi!» concluse. «Nemmeno l'ombra di un fantasma!»

Poi, senza neppure un saluto, corse a casa, con i razzi nei tacchi delle scarpe. *(rockets on the heels of his shoes)*

Belinda attese che fosse andato via.

"Il problema" disse a se stessa "è se lui sarebbe capace di riconoscere un fantasma, se per caso ne vedesse uno".

Oltrepassò il cancello e lo chiuse accuratamente a chiave. Nella sera Belinda era già evanescente e lontana, e *(just as she)* appena mise il chiavistello *(bolt)* alla porta di casa scomparve completamente. *(she disappeared)*

13

Qualcuno vive
nella Casa di Nessuno *di Ruth Park*

Ci sono persone che potrebbero raccontarti storie di fantasmi accadute al loro bisnonno, oppure alla zia di un loro vicino, a Timbuctú o in qualche altro posto che non si sa neppure se esista veramente. Invece questa storia di spettri è capitata proprio a me, Sally Gavin, e non piú tardi dell'anno scorso. Per essere piú precisi, il giorno dopo il mio undicesimo compleanno.

Rivedo ancora la Locanda del Traghetto, dall'altra parte del fiume, con le sue finestre accese dal rosso di un tramonto che in realtà non esisteva. E non dimenticherò mai il momento in cui, piú tardi, io e Fenella ci ritrovammo sole in quella stanza buia coperta di ragnatele dove il tempo sembrava essersi fermato; fu allora che udimmo uscire dal nulla la voce gracchiante di un vecchio. Il ricordo mi fa ancora rabbrividire, e a Fenella succede lo stesso.

Allora Fenella, la mia sorellina, aveva nove anni. Mia madre aveva fatto uno sbaglio madornale nel darle quel nome romantico, perché Fenella era romantica quanto un frullatore. Una ragazzina prepotente, saccente e chiacchierona. Chi la conosceva bene la chiamava l'Orribile Fenella, oppure il Dottor No. Adesso è cambiata: è un po' svanita ma adorabile, e piace a tutti.

Quella sera io, papà e Fenella stavamo viaggiando in macchina nella zona dei Northern Rivers, una interminabile e angosciosa striscia d'argilla. Doveva venire anche la mamma, ma a nostro fratello Robbie era scoppiata la varicella e lei era rimasta a casa con lui, contentissima di risparmiarsi le inevitabili disavventure che di solito accompagnano le gite organizzate da mio padre.

Papà è un guidatore scrupoloso e, quando vide una moto della polizia venire dritta verso di lui, accostò subito al lato della strada e si fermò. Il poliziotto, che in tuta e casco sembrava un marziano, frenò in mezzo a una pozzanghera, e fece alla nostra auto una doccia di fango. Si tolse il casco e infilò nel finestrino una faccia abbronzata e sorridente. Piuttosto carino, tutto sommato. Disse di essere l'agente Fiddler di Burangie, la cittadina che avevamo attraversato circa cinque chilometri prima.

«Piacere, Dan Gavin» si presentò educatamente mio padre.

«Papà non stava andando forte» si intromise Fenella, con la sua voce squillante, in tono di rimprovero. «Sono sicura, perché ho sempre tenuto d'occhio il contachilometri.»

Il giovane agente scoppiò in una risata.

«Il fatto è che Des Harris, della stazione di servizio, mi ha riferito che avete intenzione di andare alla vecchia Locanda del Traghetto, stasera.»

«Papà vuole comprarla e trasformarla in un motel» annunciò l'Orribile.

Mio padre le diede un'occhiataccia e spiegò all'agente che stava andando semplicemente a vedere il posto di persona, dato che lo conosceva solo in fotografia.

L'agente si massaggiò pensierosamente la riga rossa che il casco gli aveva lasciato sulla fronte.

«Ecco» disse «forse lei non sa che quel posto è abbandonato da tempo. Non ci sono altro che topi e tarli. Non ci vive più nessuno da oltre quarant'anni. La gente di qui la chiama la "Casa di Nessuno".»

«E magari dicono anche che è infestata dai fantasmi» disse Fenella, sarcastica.

Papà ribadí che non avevamo intenzione di dormire nella taverna. Avevamo con noi il necessario per il campeggio e, comunque, a mio padre non era passata la mania giovanile di dormire sotto un albero, nel suo vecchio sacco a pelo. Perciò ascoltò con impazienza il giovane agente:

«Fa lo stesso, signor Gavin. Spero che lei cambi idea. Si sta facendo buio, la strada è tutta buche, il ponte che ha preso il posto del vecchio traghetto non ha proprio nulla di interessante, e dopo tutta la pioggia che è caduta deve esserci fango ovunque. Perché non torna indietro, passa la notte alla locanda di Burangie e aspetta domattina per tornare da queste parti?»

Ovviamente l'agente Fiddler conosceva la zona meglio di noi e diceva cose perfettamente sensate. Ma Fenella inscenò all'istante una dimostrazione di protesta. Non soltanto le era stato promesso che avrebbe campeggiato, ma era anche la capocuoca della spedizione e aveva portato salsicce e pomodori da friggere nel fornello portatile, e quindi se papà avesse dato ascolto all'agente avrebbe commesso una autentica ingiustizia, e nel mondo d'oggi c'è un gran bisogno di giustizia... Bene, era giusto arrivata a questo punto, quando papà si stufò dell'intera faccenda e disse che avrebbe proseguito per alcuni chilometri e sarebbe tornato a Burangie solo se il tempo fosse peggiorato.

«D'accordo, ma la responsabilità è sua» disse l'agente Fiddler con una certa asprezza.

Poi si trasformò di nuovo in un marziano e fece un'altra brusca conversione con la moto, infangando la nostra auto dalla testa alla coda. Papà rimise in moto, nervosissimo.

Tutt'intorno la campagna era fradicia. Ai piedi delle colline, davanti a noi, le querce erano in fiore, e sembravano sbuffi di crema gialla contro le nubi temporalesche. Adesso la strada era meno dissestata, ma appariva liscia e scivolosa, e papà guidava con molta attenzione. Tutt'a un tratto notai qualcuno che, al bordo della strada, faceva dei gesti con la mano. In quel panorama umido e solitario un altro essere umano era l'ultima cosa che mi aspettavo di vedere. Papà si fermò.

«Ti serve un passaggio, amico? Però noi arriviamo soltanto fino alla vecchia locanda, oltre il ponte.»

«Perfetto! Grazie infinite.»

Era un ragazzo di tre o quattro anni piú grande di me, che indossava una tuta logora. Portava sulle spalle una incerata, e quando si infilò nel sedile posteriore mi rivolse un mezzo sorriso. Aveva una di quelle tipiche facce timide e pulite da contadino, e denti irregolari.

Naturalmente Fenella si girò subito verso di lui e informò dettagliatamente il nostro passeggero su come vivevamo nelle Blue Mountains, oltre Sidney; su come il suo insegnante di musica diceva che lei sarebbe arrivata a fare grandi cose con il violino (sebbene non avesse ancora cominciato a suonarlo); su come papà si era specializzato nello scovare vecchie proprietà e nel riassestarle per conto di una catena di motel; su come e quando Robbie aveva preso la varicella; e su come lei avrebbe fritto le salsicce non appena ci fossimo fermati a campeggiare per la notte.

18

«Questi sono posti molto solitari» avvertí il ragazzo. «Sarebbe meglio passare la notte in città.»

«Perché?» chiese Fenella.

Lui non rispose; e allora papà gli chiese se il ponte era pericolante.

«No, penso che sia a posto» rispose il ragazzo. «Era pericoloso quando il fiume era in piena. Una volta è stato trascinato via dall'acqua, e un'altra volta è rimasto danneggiato. No, non dicevo per questo. Ma temo che lungo la strada troverete brutto tempo e potrete impantanarvi o cose del genere.»

«Fatti nostri» disse papà.

Mi resi conto che era di cattivo umore per via dello scoraggiamento che lo stava assalendo. Prima che l'Orribile potesse avventarsi su un altro dei suoi argomenti preferiti (ad esempio, sul perché detestava ogni sport e stava invece imparando a giocare a scacchi) chiesi al ragazzo dove viveva.

«Non lontano» disse.

Stavo per domandargli se andava a scuola a Burangie, quando arrivammo in cima a una collina. Adesso davanti a noi c'era il fiume, invaso da salici e piante acquatiche; sulla riva opposta si notava una pittoresca vecchia locanda, proprio come quelle che si vedono nelle figure dei libri di un secolo fa. Era un edificio con finestre a piccoli riquadri e tutt'intorno una veranda che proteggeva il pianterreno dal sole e dalla pioggia. Sul tetto spuntava una mezza dozzina di comignoli di mattoni gialli, sormontati da una banderuola di lamiera intagliata; su un fianco dell'edificio c'era il cortile delle antiche scuderie, a cui si accedeva da una grande arcata di pietra. Naturalmente sapevo già che un tempo la Locanda del Traghetto era una stazione di posta di una delle maggiori linee di diligenze, e me le immaginavo mentre venivano giú dalla collina in un tintinnio di sonagliere, e il postiglione suonava il suo corno, e i passeggeri pregustavano la cena a base di montone arrosto e pane con l'uvetta, e poi la buona dormita fra le lenzuola pulite.

«Immagino che le diligenze, per proseguire il viaggio, fossero caricate sulla grossa zattera del traghetto» disse papà.

19

«Sí, è cosí» rispose il ragazzo, puntando il dito. «Giusto dove adesso c'è il ponte. I traghettatori spingevano la zattera grazie a delle corde e a un sistema di contrappesi. Ma adesso il fiume è quasi completamente in secca. Riprende a scorrere soltanto dopo settimane di pioggia forte.»

«Guardate il sole che si riflette nelle finestre della casa» dissi io. «Si potrebbe giurare che ci vive della gente. Questa non è una Casa di Nessuno.»

Non riuscivo a distogliere gli occhi da quel posto. Sullo sfondo delle scure colline aveva un'aria cosí familiare, cosí accogliente...

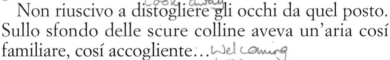

Proseguimmo lungo il pendio e imboccammo il ponte. Sembrava abbastanza solido.

Quello che aveva detto il ragazzo era vero: il fiume era quasi asciutto. Il letto era coperto di canne e di erbacce selvatiche, e l'acqua era fangosa, con grandi chiazze giallastre.

L'auto entrò nel cortile delle scuderie, che era pieno di immondizie: barili rotti, cerchioni di ruote, legname marcito. Fra i lastroni di pietra della pavimentazione cresceva l'erba; in un angolo c'era una pompa per l'acqua con il manico rosso di ruggine. Piú oltre c'erano le stalle, con le porte scardinate e l'interno buio e minaccioso.

Ma papà non sembrò trovarlo sgradevole.

«Penso che ci accamperemo proprio qui» disse. «Che ne dici, Sally? Se ricomincia a piovere, potremmo ripararci nella veranda.»

Mentre parlava si udí un lungo rombo di tuono, come se qualcuno avesse picchiato un bastone contro una grossa campana. Il ragazzo ebbe un brivido.

Fenella lo trafisse con una delle sue occhiate inquisitorie:

«Tu hai paura! Credi che questa casa sia infestata dagli spettri?»

Il ragazzo distolse gli occhi, vergognandosi un po'.

«E va bene: circolano delle chiacchiere su un fantasma» ammise.

Stava per aggiungere qualche altra cosa, ma l'Orribile saltò su, nel suo miglior stile, martellando quel povero ragazzo di risate di scherno. Papà e io cominciammo a osservare meglio la locanda, e capii che stavamo pensando la stessa cosa, cioè quanto era accogliente, con le sue finestre che scintillavano vermiglie nel tramonto. Poi tutt'a un tratto mi resi conto di qualcosa. Il sole era tramontato da più di mezz'ora!

«Bene, allora» disse Fenella, che adesso stava accanto a noi. «Ci sono le luci accese. Quel povero vecchio fantasma che vive nella Casa di Nessuno ha paura del buio.»

Ma la lunga fila di pali della corrente elettrica terminava dall'altra parte del fiume: avevo già notato questo particolare. E sebbene il sole fosse appena tramontato, le rane stessero gracidando giú fra i canneti e le zanzare ronzassero intorno, cominciai a sentirmi un po' strana.

Papà disse, come se parlasse a se stesso:

«Ovviamente ci sarà un generatore.» Poi aggiunse, con voce piú forte e meno sconcertata: «Vado a vedere. Nel frattempo voi, ragazze, cominciate a preparare qualcosa da mangiare. Io non ci metterò molto.»

Ebbi l'impulso di gridare: «No, papà, non farlo!» ma lui salí sulla veranda e la percorse fino alla porta principale, che era spalancata e mezza staccata dai cardini. La lanterna a forma di conchiglia era a pezzi. Udii papà chiamare.

«Ehi, c'è nessuno in casa?»

Proprio in quel momento tutte le luci si spensero, e prima che i miei occhi si abituassero alla semioscurità vidi sprizzare un fulmine dalle montagne di nuvole. Fenella disse in tono severo:

«Papà sta facendo una stupidaggine! Il pavimento potrebbe essere marcio e lui non ha neppure preso la torcia.»

La torcia era nel cassetto dell'auto, cosí infilai la testa dentro e dissi al nostro passeggero:

«Per favore, puoi passarmela? Sta nel…»

Ma l'auto era vuota. Presi io stessa la torcia e ne girai il raggio tutt'intorno al cortile, ma non c'era alcun segno del ragazzo. Doveva essere scivolato fuori per tornarsene nel posto in cui viveva, ovunque fosse. Mi sembrò poco gentile che non avesse neppure detto grazie a papà per il passaggio, ma immaginai che fosse ansioso di arrivare a casa prima che scoppiasse il temporale. L'Orribile, però, pensò che lui si fosse offeso perché lo aveva preso in giro.

«Infatti sembrava piuttosto depresso» disse, trionfante.

«Oh, chiudi la bocca» replicai «e andiamo a cercare papà. Starà brancolando nel buio, là dentro.»

I gradini della porta principale, ricoperti di erbacce e di ortensie mezze morte, erano scivolosi per l'umidità.

«Papà, abbiamo la torcia» chiamai.

Puntai il raggio oltre la porta. Qualcosa luccicò e tanto io quanto Fenella facemmo un balzo indietro, ma era soltanto un frammento di specchio rotto con una scritta dorata, dietro un immenso bancone di legno mezzo sfasciato.

«Questo doveva essere il bar» dissi.

Fenella gridò irosamente:

«Ehi, genitore, basta con gli scherzi. Dove diavolo sei andato?»

Poi vidi una fila di orme nella polvere che ricopriva il pavimento come una lanugine grigia. Andavano verso una porta semiaperta, accanto al bar. Sapevo che papà non era un tipo da fare scherzi, non a noi, comunque, e non riuscivo a capire perché mai era andato dritto in quello stanzino. Me lo immaginai caduto in un buco nel pavimento, con il cranio fracassato e Dio sa che altro; perciò fui infastidita quando sentii Fenella stringersi contro di me.

«Non mi piacciono tutti questi specchi, Sally» sussurrò.

A mano a mano che giravamo la torcia intorno, altri specchi, sporchi e coperti di ragnatele, rimandavano lampi improvvisi. L'effetto era tale da mettere paura.

«Smettila di dirmi che cosa ti piace o non ti piace!» ringhiai.

Raggiungemmo la porta semiaperta e la spingem-

creak

mo. Si aprí con il classico cigolio dei telefilm sui fantasmi. Fenella ridacchiò nervosamente.

«Sei qui, papà?» chiamai.

Non era là. Ci trovavamo in una specie di piccolo ufficio, con una scrivania traballante ricoperta di vecchi registri e un telefono da parete di vecchio modello. C'erano carte spiegazzate e orme su tutto il pavimento. Quando Fenella tornò a parlare, la sua voce era decisamente incerta:

«Forse è andato al piano di sopra.»

Pensai che era molto improbabile, ma mi sentivo cosí nervosa che accolsi con gioia quell'ipotesi:

«Dev'essere cosí. Torniamo nel bar e cerchiamo le scale.»

Proprio allora, improvvisa quanto un colpo di fucile, si udí una voce:

«Andate via! Andate via! Non c'è pace in questo posto!»

Di solito si usa dire che qualcuno resta paralizzato dallo shock. Bene, per me e Fenella fu proprio cosí. Poi mia sorella mandò un singhiozzo. sob

«Ssst!» la zittii.

Sapevo che la voce che avevamo sentito non era di papà e neppure dell'autostoppista. hitchhiker

«Non posso farci nulla» ansimò l'Orribile.

Si afferrò a me con la stretta di un lottatore. wrestler

L'unica cosa che riuscii a pensare fu di andarcene fuori di là. Intanto la voce gracchiante continuava a ripetere, da qualche parte oltre la porta dell'ufficio:

«Un uomo non riesce a trovar pace in nessun posto! Non chiedo altro che questo, pace…»

intanto – meanwhile
spiegazzato – crumpled
zittire – hush
ansimare – gasp/pant
afferrare – grasp

Scoppiò un lampo simile a un flash e alla sua luce potemmo vedere qualcuno in piedi sulla porta. Era un vecchio, vecchissimo uomo, il piú bizzarro che io abbia mai visto. Portava la barba e un cappello cencioso che gli nascondeva il resto della faccia.

Rimasi di sasso. Non riuscivo neppure a puntare la torcia verso di lui. Fenella affondò la testa nella mia spalla. Tremava come una foglia. Poi il vecchio svaní nuovamente nell'ombra e sentimmo di nuovo la sua voce lamentosa, ma piú debole:

«Perché non se ne vanno tutti quanti e non mi lasciano in pace?»

Ci stringemmo l'una all'altra come scimmie. Mia sorella adesso singhiozzava forte.

«Deve essere il fantasma che infesta la locanda, e deve aver fatto qualcosa di terribile a papà!»

Il sangue mi si gelò nelle vene, perché avevo sentito un rumore di passi che venivano dalla sala vuota del bar. Fenella scoppiò in un urlo di terrore, ma poi ecco la voce di papà:

«Sei tu, Sally? Dove diavolo siete andate a cacciarvi voi ragazze?»

Un momento dopo era nell'ufficio, infuriato come un cobra:

«Che cosa vi è saltato in mente? Perché non siete rimaste nell'auto?»

«Ovviamente siamo venute a cercarti, dopo che le luci si sono spente» replicò Fenella.

«Ma questo è successo appena un momento fa!» protestò papà.

«Certo che no!» adesso fui io a ribattere, irritata.

scoppire ✓burst

«È successo non meno di venti minuti fa. Non abbiamo fatto altro che cercarti e chiamarti. Avevamo paura che fossi caduto in un buco del pavimento.»

«Strano» mormorò papà. «Adesso che mi ci fate pensare, tutto sembrava straordinariamente silenzioso, quasi soprannaturale. Poi ho sentito lo sbuffo della piccola Orribile, o qualcosa del genere.»

Fenella scoppiò a piangere, mentre io raccontavo a papà quello che avevamo visto e sentito. Lui non mi credette.

26

«Quel ragazzo che abbiamo tirato su lungo la strada» proruppe Fenella «è scappato via. Si è spaventato perché sapeva che questo posto è infestato!»

Papà ci abbracciò entrambe.

«Qualunque cosa abbiate visto, io ne ho abbastanza. Ce ne torniamo subito a Burangie. Ha ricominciato a piovere, e scoppierei se dovessi passare un'intera notte all'umido, con due ragazzine che continuano a parlare di fantasmi.»

Suonò il telefono. Fenella fece un sobbalzo e rabbrividí. shudder.

«Oh, smettila» la rimproverò papà, con irritazione. «Probabilmente è solo quell'agente che ci telefona per avvertirci che il fiume sta salendo o qualcosa del genere.»

Alzò il ricevitore. (I lifted the receiver)

«Pronto, pronto? Qui Dan Gavin. Chi parla? Pronto? Mi sentite?»

Io non ero piú terrorizzata, e cominciai a dire:

«Papà, papà...»

Mi fece cenno di stare zitta.

Smettila ?

del genere — of the sort

«Maledette queste linee telefoniche di campagna! Non si capisce nient'altro che qualche parola qua e là. Oh, sta' zitta, Sally! Cosa? Ehi, signore, parli piú forte!»

«Papà» dissi «il telefono non è collegato. Guarda i fili: sono stati tagliati da anni!»

«Allora come mai funziona?» Riappese il ricevitore alla forcella. «Tutto quello che sono riuscito a capire è qualcosa circa il livello del fiume che sta salendo, e dei balbettii a proposito del ponte. Sally, di qualunque cosa si tratti, sei bianca come un foglio di carta.»

Gli mostrai le estremità corrose del cavo telefonico. Lui prese la torcia, ci trascinò fuori e ci fece entrare nella macchina in non piú di quattro secondi netti. Adesso la pioggia cadeva a catinelle. Il motore rifiutava di partire.

«Santo cielo, non ci voleva proprio adesso!» esclamò papà.

Alla fine il motore si accese. Uscimmo dal cortile delle scuderie e i fari proiettarono un ventaglio di luce giallognola sui rottami che lo ingombravano. Il luogo era triste e solitario quanto la voce del vecchio fantasma.

Fenella aveva messo la testa fuori del finestrino, per guidare papà mentre faceva manovra per imboccare il ponte.

«Ecco il fantasma!» strillò. «Sulla porta di casa!»

La luce dei fari lo faceva somigliare a una vecchia foto sbiadita. Papà accelerò, lanciandosi in una di quelle corse a ostacoli che avrebbero fatto morire la mamma di paura. L'auto cominciò a traversare il ponte. Adesso i canneti erano completamente sott'acqua e i rami piú bassi degli alberi erano sfiorati dalla corrente. Mi resi conto che da un momento all'altro il ponte sarebbe stato sommerso, e pensai al telefono staccato. Qualcuno ci aveva avvertiti ma chi, e perché? Poi Fenella, che stava inginocchiata sul sedile posteriore e guardava attraverso il lunotto, si mise a urlare:

«Papà, ci sta inseguendo attraverso il ponte! Il fantasma, papà!»

Papà frenò di colpo.

«Non fermarti!» gridai. «Potrebbe prenderci, è già a metà ponte!»

«Sta' calma, Sally» disse papà seccamente. «Ne ho abbastanza di questa storia.»

Aprí lo sportello e la pioggia scrosciò dentro.

«Non andare!» urlò Fenella. «Ti porterà via.»

Alla luce fioca dei fanali posteriori e all'improvviso bagliore dei lampi lo vedemmo correre incontro al fantasma, mentre saltava e guazzava nell'acqua che già gli arrivava ai ginocchi. Vedemmo papà afferrare quella figura.

«Non è affatto un fantasma, è soltanto un povero vecchio mezzo ubriaco!» gridò Fenella.

In un lampo saltò fuori dall'auto e sguazzò attraverso la pioggia per andare ad aiutare papà a trascinare via l'uomo. Cosí io fui l'unica a vedere cosa accadde.

Innanzitutto ci fu un lungo e sonoro ruggito in lontananza, forse sulle colline. E tutte le luci della

Locanda del Traghetto si riaccesero. Ogni finestra brillava; la luce si riversava attraverso la porta aperta e illuminava il cortile e gli alberi. Era una scena meravigliosa, proprio come il quadro di una vecchia locanda che dà il benvenuto ai viaggiatori stanchi. Allora vidi che la forma della collina, dietro la casa, stava cambiando. Per un momento rifiutai di crederci, poi mi tornò il buonsenso e anch'io saltai fuori dall'auto per correre ad aiutare papà e Fenella.

«È una frana!» gridai. «L'intera collina sta precipitando sulla locanda!»

In qualche modo riuscimmo a caricare il vecchio sul sedile posteriore. Papà guidò come una furia fino a quando fummo a sei o settecento metri dal fiume. Poi ci fermammo e guardammo come ipnotizzati la collina che franava sull'edificio. Era inutile parlare: non si sentiva altro che il tuono aspro e minaccioso della valanga. La vecchia locanda crollò e fu spinta fin dentro il fiume, con tutte le luci ancora accese. Fu trascinata via come una barchetta di carta in mezzo a un torrente di fango. Poi le luci si spensero e non vedemmo piú nulla. Il ruggito si era fermato: adesso si sentivano soltanto tonfi e gorgoglii.

Il viaggio di ritorno fino a Burangie fu terribile. Il vecchio sembrava quasi privo di conoscenza. Fu con gran sollievo che vedemmo venire verso di noi dei lampeggiatori azzurri. Erano l'agente Fiddler in un'auto e altri due veicoli con diversi uomini, compreso il sergente della polizia.

«Avremmo dovuto darle ascolto, agente!» disse papà.

Sembrava scosso e, come tutti noi, era bagnato fradicio. Il sergente disse che il fiume era straripato anche a Burangie e quindi avevano pensato che il ponte fosse stato travolto. Papà stava per raccontare quel che era successo, quando il vecchio sul sedile posteriore si tirò su e disse con voce fievole:

«Mi hanno salvato la vita, mi hanno!»

Gli uomini si fecero intorno.

«È Papà Trivett! Ehi, da dove salti fuori?»

«Salvato la vita!» mormorò il vecchio. «Stavo scendendo in paese prima che il temporale mi bloccasse sulle colline, ma l'acquazzone mi ha sorpreso a mezza strada e mi sono riparato dentro la locanda. Dopo un po' mi sono addormentato e quando mi sono svegliato ho sentito delle voci. Ho creduto che fossero i fantasmi.»

«Che buffo!» esclamò Fenella. «Ma se eravamo noi!»

«Ero mezzo addormentato» spiegò il vecchio. «Che altro avrei potuto pensare? Me la sono presa con i fantasmi, che se ne vanno in giro a svegliare la gente; invece un uomo ha bisogno di pace e di silenzio! Poi ho sentito il rumore dell'auto che partiva e ho capito che avevo avuto un incubo. Ma a farmi svegliare del tutto è stato il rumore della frana che veniva giú dalle colline. Sono scappato fuori per salvarmi la pelle, ma non ce l'avrei mai fatta senza questo signore e queste ragazze.»

È probabile che tu, a questo punto, stia pensando che ti ho imbrogliato e che questa non è una vera storia di fantasmi, ma soltanto una storia in cui

ghiro – dormouse

avrebbe dovuto esserci un fantasma. Bene, se è cosí ti sbagli.

Quella notte dormimmo come ghiri nell'albergo di Burangie, e al mattino, dopo la colazione, venne a chiamarci l'agente Fiddler. Era già andato a verifica-

danno – damage

re i danni alla Locanda del Traghetto e ci riferí che la zona era inaccessibile, perché il fiume aveva inondato l'intera valle.

Ci disse anche che il signor Trivett (che era in pensione e cercava oro sulle colline) la sera era stato ricoverato in ospedale, ma adesso era sano e vispo come un grillo. (lively as a cricket)

«Eravamo sicuri che fosse lui, il fantasma della locanda» commentò Fenella.

«In effetti dicono che la Casa di Nessuno è infestata dagli spettri» disse l'agente «ma non dal fantasma di un uomo anziano. Da quello che raccontano, il fantasma è quello di un ragazzo sui quattordici anni, e di solito lo si incontra sulla strada, prima di arrivare al ponte.»

started

Fenella e io sussultammo. Papà interrogò l'agente con voce bassa e cortese:

«Come... come è diventato un fantasma, se si può dire cosí?»

L'agente Fiddler ci raccontò della piena del fiume dopo la quale, una quarantina d'anni prima, la Locanda del Traghetto era stata abbandonata. Il ragazzo viveva in una fattoria sulle colline. I suoi si erano

alerted

accorti che stava arrivando la piena e avevano pensato che la locanda fosse in pericolo. Avevano tentato di telefonare, ma la linea era in pessimo stato e non erano riusciti a farsi capire. Cosí avevano mandato giú il ragazzo a portare un messaggio, ma il ponte fu travolto mentre lui lo stava attraversando. E annegò. *annegare - to drown.*

Credo che sia stata l'esperienza di quella notte a trasformare Fenella, da Orribile che era, in una ragazzina simpatica. E forse anch'io sono cambiata. Però ci sono delle cose che continuo a chiedermi. Quella notte abbiamo fatto un viaggio nel passato, con la locanda tutta illuminata come per dare il benvenuto ai suoi ultimi clienti? E la telefonata che ci aveva indotto a uscire fuori e ci aveva salvato la vita? Apparteneva al passato anche quella? Perché c'era qualcosa che non tornava. *make sense* Papà era certo di essere rimasto dentro la Casa di Nessuno solo per qualche istante, ma io e Fenella sapevamo con assoluta certezza che c'era rimasto per un tempo molto piú lungo.

E il ragazzo? Non sembrava affatto un fantasma. In auto gli avevo toccato la mano, ed era calda come la mia. Era un ragazzo come tutti. E viene da domandarsi quanti altri ce ne siano in giro, come lui.

indurre - induce / lead

33

Il fantasma e il fantoccio danzante

di John Emlyn Edwards

«Cominciavo a temere che non sareste mai arrivati!» borbottò il nonno, appollaiato in cima al cancello della fattoria, che un tempo era appartenuta a certi signori Riddle e portava ancora il loro nome. Aveva in testa un cappellaccio, indossava abiti da lavoro e stivali di gomma, e sembrava veramente seccato.

«Il Somerset è molto lontano da Londra» gli rammentò Nick. «Siamo venuti appena abbiamo ricevuto la tua cartolina.»

«Non hai paura di cadere dal cancello?» chiese Harry, il minore dei due fratelli, notando che il nonno era in equilibrio instabile.

«Non lo faccio per divertimento» disse il nonno. «Stavo uscendo per andare a vedere se eravate sulla corriera di Whiteshells, quando Bill e Ben sono arrivate starnazzando e mi hanno attaccato.»

Dall'altra parte del cancello, dietro di lui, c'era un terreno erboso attraversato da un sentierino. Da un lato del sentiero c'era una grossa oca bianca dall'aspetto bellicoso. Dall'altro lato c'era una seconda oca, evidentemente gemella della prima.

«Ragazzi, andate nel granaio a prendere un paio di manciate di grano per loro, per favore» disse il nonno. «E mentre beccano, noi faremo una corsa fino a casa.»

Nick e Harry corsero al granaio e tornarono quasi subito. Sparsero i chicchi di grano davanti a Bill e Ben, e le oche, muovendosi nel loro buffo modo dondolante ma con insospettabile velocità, spazzolarono via tutto come se fossero un paio di perforatrici stradali. Il nonno e i due ragazzi si lanciarono a tutta velocità giú per il sentiero, saltarono dentro e sbatterono la porta di casa.

«Bene, per un po' ci lasceranno tranquilli» disse il nonno. «Voi due portate le vostre cose nella camera da letto. Il tè sarà pronto fra cinque minuti.»

I ragazzi non persero tempo a disfare i bagagli: gettarono sul letto i giacconi e i sacchi a pelo, poi si sedettero e rimasero a guardarsi, disorientati.

Al nonno la vita di campagna era sempre piaciuta. Dopo la morte della nonna aveva lasciato il suo lavoro, si era trasferito nell'ovest e aveva comprato una piccola fattoria. Mamma e papà andavano a trovarlo spesso e lo avevano sempre trovato occupatissimo, ma sorridente e allegro. Poi era arrivata la misteriosa cartolina che aveva fatto precipitare i due ragazzi nel Somerset.

«Se non riesce tenere a bada neppure un paio di oche» rifletté Nick «come farà a cavarsela con tutto il resto? C'è parecchio da fare per mandare avanti una fattoria.»

«Forse è per questo che ci ha chiamati» suggerí Harry. «Per dargli una mano.»

«Se è costretto a fare affidamento su di noi, è in guai peggiori di quanto credessi» commentò Nick.

«Il tè è pronto!» il nonno agitò un campanello.

I morsi della fame fecero volare i due ragazzi giú per le scale, fino in cucina. Un grande tavolo con il piano di legno di pino era carico di fette di pane arrostito, barattoli di marmellata e di crema, e un vassoio di biscottini croccanti.

«Dove vai a fare la spesa?» chiese Harry, con la bocca piena. «Sei molto lontano dal villaggio di Whiteshells.»

«Fare la spesa?» ridacchiò il nonno. «Sarebbe una perdita di tempo. Produco da me la maggior parte di quello che mi serve. La gente è pazza a correre fuori per comprare le varie cose. Dovrebbe cercare di rendersi autonoma, come me. Io coltivo la frutta e le verdure, allevo oche, anatre e galline.»

«Sembra bello» commentò Nick «però è meglio se chiudi Bill e Ben da qualche parte. Non riuscirai mai a fare niente, con loro due che ti danno la caccia in quel modo.»

Il nonno diede un morso a un biscotto.

«Ho comprato Bill e Ben perché facessero la guardia contro gli intrusi. La gente del posto mi ha detto che nessuno è riuscito a tenere qui dei cani, perché nella fattoria Riddle c'è un fantasma. Io non l'ho visto con i miei occhi, però ultimamente sono accaduti dei fatti strani. Per esempio, ho trovato tutte le mie scarpe sparpagliate sul pavimento del granaio. Ho ammucchiato una grossa catasta di legna da ardere, e il giorno dopo i ciocchi erano dovunque. Mi sono costruito un cavalletto per segare la legna, ma è crollato la prima volta che l'ho usato.»

Il nonno tacque per qualche istante, accigliato, poi proseguí:

«Dicono che è colpa del fantasma se nessuno è riuscito a vivere qui, dopo che i Riddle lasciarono la fattoria, circa ottant'anni fa.»

«Non c'è da meravigliarsi» commentò Harry, che cominciava a sentirsi un po' nervoso. «Io non ci resisterei molto a lungo.»

«Però io voglio restarci, e ho bisogno del vostro aiuto» insistette il nonno. «Qualcuno mi ha detto che quel fantasma parla soltanto ai ragazzi. È per questo che vi ho chiesto di venire qui. Voi dovrete parlare con il mio fantasma, scoprire che cosa vuole e mandarlo via.»

«Ho un'idea migliore» disse Nick. «Dimentichiamo tutte queste storie e lavoriamo insieme per migliorare la fattoria. Io non credo nei fantasmi e…»

Proprio in quel momento cominciò ad accadere di tutto. Le galline strillavano e schiamazzavano. Le oche stridevano e facevano qua qua. Le porte di legno del pollaio sbattevano e i polli schizzavano fuori da tutte le parti. Fuori, nell'aia, Bill e Ben marciavano bellicosamente. Le due oche allargarono le ali e allungarono il collo. In pochi istanti scoppiò uno strepito orrendo.

«Le oche non dovrebbero comportarsi cosí» farfugliò Harry.

«Le mie lo fanno» rispose il nonno, guardando a occhi sgranati fuori dalla finestra.

Nick prese da un sacco una manciata di grano per rabbonire Bill e Ben, e mosse a passo di carica verso l'aia. La caccia, furibonda, durò circa un'ora, ma alla fine le due terribili oche furono nuovamente richiuse nella loro stia.

«Domani troveremo una spiegazione logica per tutto questo» dichiarò Nick «e allora ci faremo sopra una bella risata.»

Un attimo dopo, desiderò di non aver mai detto una frase del genere, perché…

«Uh-uh, ah-ah, hi-hi!»

Scoppiò un concerto di risate che risuonò per tutta la fattoria. Un concerto di risate spettrali!

Il giorno dopo, il nonno mise i ragazzi al lavoro nel granaio. I sacchi si erano rovesciati, la legna era rotolata giú, gli attrezzi erano sparsi ovunque.

«State alla fattoria dei Riddle, non è vero?» disse una voce dietro di loro.

Sulla porta del granaio era improvvisamente apparsa una ragazza con lunghi capelli neri e occhi verdi. Portava un semplice vestito di cotone e scarpe di pelle con i laccetti.

«Sí, siamo venuti a dare una mano al nonno» rispose Nick, interrompendo il lavoro, non troppo soddisfatto che una delle persone del posto fosse venuta a fare quattro chiacchiere.

«Io mi chiamo Beth» disse la ragazza. «Voi potete aiutarmi, se volete. Ho perso il mio Jigger Jack e non posso farne a meno.»

«Chi è Jigger Jack?» chiese Harry.

«È il mio migliore amico» spiegò Beth. «L'ho comprato in un negozio del villaggio di Whiteshells. È scolpito nel legno, con braccia e gambe snodate, e dipinto in modo cosí allegro!»

Nick fu colto da un terribile sospetto.

«Jigger Jack è solo un fantoccio, non è vero? E tu vorresti che noi perdessimo tempo a cercarlo! Dimenticatelo!»

«Jigger Jack significa moltissimo per me» replicò Beth. «Ho giurato che non lascerò questo posto fino a quando non lo avrò ritrovato. Io non mi fido dei grandi, mi hanno già ingannata altre volte. Perciò tocca a voi aiutarmi!»

«Questo è quel che pensi tu» ringhiò Nick, impugnando la ramazza. «Ci dispiace molto, ma non c'è nulla che possiamo fare per te. Adesso per favore lasciaci lavorare!»

«Invece farete quello che voglio io, e vedrete che non mi ci vorrà molto per persuadervi!» ammoní Beth, irritata.

Alzò le braccia e cominciò a girare su se stessa, veloce come una trottola, scomparendo lentamente a partire dai piedi, fino a quando rimasero soltanto un paio di mani roteanti. Si udí una risatina spettrale e anche le mani svanirono. Beth era completamente scomparsa.

«Hai visto anche tu?» domandò Nick, con voce

roca. «Beth dev'essere il fantasma della fattoria dei Riddle!»

Si precipitarono in casa per raccontare tutto al nonno.

«Meraviglioso!» approvò il nonno. «Siete riusciti a fare in modo che il fantasma parlasse con voi e avete anche scoperto qual è il suo problema. Tutto quello che dobbiamo fare è trovare il suo prezioso pupazzo. Inizierò io le ricerche, mentre voi due andrete a raccogliere legna. Non possiamo interrompere il lavoro.»

«Di sicuro è piú importante trovare il fantoccio» protestò Harry.

«La prima regola dell'autosufficienza è fare una buona scorta di combustibile per l'inverno» replicò il nonno. «Nessuno dovrà patire il freddo, neppure Beth!»

Non c'era da discutere. Dopo aver finito il lavoro nel granaio, i ragazzi andarono a far legna. Seguendo le istruzioni del nonno, discesero per la valletta alle spalle della fattoria e attraversarono un torrentello saltando da una pietra all'altra. Poi si avventurarono nel bosco, raccogliendo rami secchi caduti dagli alberi e legandoli in fascine. Stavano per tornare a casa quando, improvvisamente...

«Uaaa-ooo! Uaaa-ooo!»

Tutt'intorno a loro scoppiò un coro di ululati.

Sentirono, sempre piú vicino, il rumore di zampe lanciate in piena corsa, di fauci che si chiudevano di scatto per azzannare, di cespugli scossi, di rami spezzati.

«Che cosa sta succedendo?» gridò Harry.

«Siamo attaccati dai lupi!» urlò Nick, ricordandosi di tutti i film dell'orrore che aveva visto.

«Ma qui non ci sono lupi!» ribatté Harry.

«Adesso ci sono!» gridò Nick, puntando un dito tremante.

C'era un intero branco di lupi con gli occhi rossi e le zanne scintillanti, che correvano verso di loro, tra i cespugli. E proprio sopra le loro teste svolazzava un gufo ululante.

I ragazzi lasciarono cadere a terra le fascine e corsero attraverso il fitto bosco, fino al torrente. Saltarono da una pietra affiorante all'altra e, in qualche modo, riuscirono ad arrivare sulla riva opposta; ma non smisero di correre finché non ebbero raggiunto la fattoria.

«Lupi fantasma, eh?» bofonchiò il nonno. «Era sicuramente un trucco di Beth.»

«Dev'essere davvero molto arrabbiata» osservò Harry. «Faremo meglio a trovare il suo pupazzo alla svelta.»

«Mentre eravate fuori ho passato al setaccio tutta la fattoria» riferì il nonno. «Mi dispiace, ma non ho avuto fortuna. Dopo mangiato andrò in bicicletta al bar del paese e parlerò con la gente del posto. Forse qualcuno potrà darmi un'idea di dove potrebbe essere il pupazzo. Voi due intanto raccoglierete le more. Ho bisogno di molta frutta per fare la marmellata per l'inverno.»

Cosí, dopo aver mangiato frettolosamente un panino, i due ragazzi uscirono portandosi dietro un paio di secchi di plastica. Il nonno aveva detto loro in quale posto andare, e seguendo le sue indicazioni trovarono numerosi cespugli carichi di more mature proprio sotto un castello in rovina, nel lato della valle di fronte al bosco. Sul fianco della collina stava pascolando un branco di cavallini selvaggi.

I due ragazzi passarono circa un'ora riempiendo i secchi di more.

A un tratto i cavalli alzarono il muso e presero a raspare il terreno con gli zoccoli. I ragazzi si guardarono intorno, cercando di capire che cosa li avesse disturbati... e si sentirono gelare per lo spavento.

Dall'arco semidistrutto del castello si stavano precipitando fuori degli uomini. Indossavano corazze di cuoio, impugnavano spade e archi e gridavano con voci minacciose.

Wiz! Wiz! Wiz! Le frecce volarono attraverso l'aria con sibili irosi e si conficcarono in terra tutt'intorno ai due ragazzi.

«A quanto pare ce l'hanno con noi. Gambe!» gridò Nick.

Lasciarono cadere a terra i secchi e corsero più veloci che potevano, senza mai fermarsi, fino a quando furono al sicuro oltre la porta della fattoria.

«Era di nuovo quella scocciatrice di Beth!» concluse il nonno, quando i ragazzi gli raccontarono cos'era successo. «Ma non mi dichiaro vinto! Io non...»

Si interruppe, tendendo l'orecchio:

«Cos'è questa specie di tuono?»

Dalla vallata veniva un rombo che si faceva sempre piú forte. Dal sentiero di terra battuta, con un furibondo scalpitio di zoccoli, precipitò come una valanga il branco di cavalli selvatici. Saltarono lo steccato e si avventarono alla carica nel frutteto.

A guidarli, cavalcando a pelo con i lunghi capelli neri ondeggianti al vento, era Beth. Li portò al galoppo nell'orto, e sotto i loro zoccoli il terreno fu completamente sconvolto. Poi tornarono nel frutteto, saltarono oltre lo steccato e si avventarono giú per la vallata, che riecheggiò dell'acuta risata spettrale di Beth.

Guardando dalle finestre della fattoria, il nonno e i ragazzi rimasero immobili come statue, con la bocca aperta e gli occhi sgranati. L'incursione dei cavalli era stata veloce come un tornado e spaventosa come un incubo.

«Che rovina!» sospirò il nonno. «Se andrà avanti cosí, sarò costretto ad abbandonare la fattoria dei Riddle, come tutti quelli che sono venuti qui prima di me.»

«Al villaggio hai scoperto qualcosa?» chiese Nick, speranzoso.

«Mi hanno detto che qui ci viveva una ragazza chiamata Beth Riddle» rispose il nonno. «Morí di febbre alla fine del secolo. A quanto pare era un tipetto selvaggio. I suoi genitori erano povera gente, e il fantoccio era l'unico giocattolo che Beth avesse mai posseduto.»

«Per una ragazza cosí, è buffo avere un fantoccio» osservò Nick.

«È probabile che sia stato portato dall'America su una nave diretta a Bristol» spiegò il nonno. «Jigger Jack era un fantoccio, o piuttosto una marionetta, di un tipo molto antico e caratteristico. Era intagliato nel legno ed aveva le braccia e le gambe snodate. Era accompagnato da una tavoletta di legno molto sottile, la cui estremità veniva posata su una sedia; ci si sedeva sulla tavoletta, cosí che l'altra estremità restasse libera fra le gambe, un po' come un trampolino, e si teneva il fantoccio in modo che i suoi piedi la sfiorassero appena. Poi con l'altra mano si tamburellava sulla tavoletta, e le vibrazioni facevano sí che Jigger Jack si mettesse a ballare.»

«A Beth deve essere sembrato un gioco meraviglioso» commentò Harry.

«Sfortunatamente, a quei tempi gli abitanti del villaggio erano molto superstiziosi. Credevano che tagliare un ramo di quercia portasse sfortuna: chi lo faceva era condannato a morire di malattia» proseguí il nonno. «Il Jigger Jack di Beth era appunto intagliato in legno di quercia, e quando la ragazza si ammalò i vicini dissero ai suoi genitori che l'unico modo di farla guarire era bruciare il fantoccio; ma, ovviamente, non serví a nulla.»

«Quindi Jigger Jack venne gettato nel fuoco» disse Nick. «Beth andrà su tutte le furie quando le daremo la brutta notizia.»

Il nonno era cosí avvilito che non sapeva cosa dire, cosí i ragazzi lo lasciarono solo e andarono fuori nell'aia. Ma avevano fatto solo pochi passi, quando Nick si mise a strillare improvvisamente.

Ad ali spiegate e protendendo minacciosamente il becco, Bill e Ben sbarravano loro la strada.

«Torniamo indietro!» urlò Nick.

«Troppo tardi!» gli rispose Harry.

I ragazzi sfrecciarono verso il granaio, ma le due oche erano piú veloci e arrivarono prima di loro. Allora Harry e Nick cercarono scampo nel frutteto, e Bill e Ben li inseguirono anche là, strillando.

I ragazzi corsero a zigzag in mezzo agli alberi, avanti e indietro, ma le oche sembravano infuriarsi sempre di piú.

«Beth!» gridò Nick. «Aiuto! Salvaci!»

Improvvisamente apparve Beth, e Bill e Ben fecero dietrofront e fuggirono velocissime.

«Non avete ancora trovato il mio Jigger Jack?» domandò Beth.

«Uhm... bene... ehm...» tossicchiò Nick, per prender tempo.

«Sarà meglio che mi diciate tutto» li minacciò Beth.

«Ci hanno raccontato che mentre eri malata il tuo Jigger Jack è stato gettato nel fuoco» disse Nick. «I tuoi genitori volevano salvarti. Pensavano che fosse la cosa migliore da fare.»

«Non è vero!» gli occhi verdi di Beth lampeggiarono. «I miei genitori non credevano alle stupide superstizioni della gente del villaggio. Mia madre nascose Jigger Jack in un posto segreto, dentro la fattoria. Aveva intenzione di restituirmelo dopo che fossi guarita. Il guaio fu» concluse Beth, cupamente «che invece sono morta e non ho mai piú visto il mio Jigger Jack. Ma ho giurato che non lascerò questo posto senza di lui, quindi farete bene a trovarmelo subito!»

«Il nonno lo ha già cercato per tutta la fattoria» affermò Harry. «Ma non ha trovato nulla. Perché noi dovremmo essere piú fortunati?»

«Sono state le persone grandi del villaggio che mi hanno fatto togliere il mio Jigger Jack» replicò Beth. «E vostro nonno è una persona grande. Potrebbe imbrogliarmi anche lui. Trovate il mio fantoccio» minacciò «o la fattoria dei Riddle sarà l'ultimo posto al mondo che avrete voglia di rivedere!»

Poi si mise di nuovo a girare su se stessa, sempre piú veloce. Le braccia, le gambe e tutto il corpo lentamente svanirono. Quando rimase soltanto la testa, Beth strabuzzò gli occhi e tirò fuori la lingua. Fu una cosa orribile!

I ragazzi rientrarono in casa di corsa.

«Con ciò per me è finita!» sospirò il nonno. «Cacciato via da un fantasma!»

«Ma dove può aver nascosto Jigger Jack, la madre di Beth?» fece Nick, a un tratto.

Il nonno rimase un attimo in silenzio.

«Ai tempi di Beth le donne lavoravano nei campi, duramente quanto gli uomini, e lo fanno ancora, se ci pensate bene; però avevano dei compiti particolari, come cucire o fare il pane.»

«Giusto!» Nick ebbe un'idea brillante. «La madre di Beth deve aver nascosto Jigger Jack proprio qui in cucina, dove lavorava da sola.»

Frugarono ancora una volta tutta la cucina, da cima a fondo. Spostarono la credenza e il pesante tavolo. Bussarono su tutte le pareti, per assicurarsi che non ci fossero punti vuoti. Niente.

«Abbiamo dimenticato la dispensa!» esclamò il nonno, indicando lo stanzino che si apriva su un lato della cucina.

Svuotarono la dispensa delle bottiglie e delle scatole di latta e quando il pavimento fu sgombro, spostarono il frigo. Poi Harry fece la grande scoperta.

In un angolo del pavimento c'era una piccola gobba: evidentemente alcune mattonelle erano state tolte e poi rimesse a posto, ma senza cementarle. I due ragazzi tolsero le piastrelle, ma sotto non c'era niente, soltanto della terra. Scavarono un poco e, sotto uno strato di pochi centimetri, urtarono contro qualcosa di solido: una scatola di latta, di quelle che si usavano per i biscotti.

47

Dentro, disteso su un letto di ovatta, c'era un fantoccio di legno con braccia e gambe snodate. Una volta doveva essere stato dipinto a colori brillanti, ma adesso era un po' sbiadito. Aveva il cappello giallo, giacca rossa, calzoni blu e stivali neri. La faccia aveva gli occhi tondi, il naso all'insú e un largo sorriso.

«Jigger Jack!» tuonò il nonno, trionfante. «Lo abbiamo trovato! Venite. Vi faccio vedere come funziona.»

barn / granary

Tornarono tutti nel granaio. Il nonno trovò una assicella sottile, ne appoggiò un'estremità su uno sgabello e ci si sedette sopra, tenendo l'altra estremità fra le gambe. Poi prese fra le dita l'asticciola di legno che era incastrata nella schiena di Jigger Jack e tenne il fantoccio sull'assicella, in modo che i piedi la sfiorassero appena; poi, con le dita dell'altra mano, cominciò a tamburellare sulla tavoletta. Le braccia e le gambe della marionetta presero ad agitarsi, mentre i piedi battevano sulla tavoletta danzando a ritmo perfetto.

«Fantastico!» gridò Nick. «Fammi provare!»

«Voglio provare anch'io!» strillò Harry. «È fantastico!»

Nick si sedette sulla tavoletta e tenne il pupazzo danzante, mentre con la mano libera tamburellava un ritmo sulla tavoletta. Harry si uní al concerto, tamburellando con tutt'e due le mani.

Con tre mani che battevano un ritmo complicato, Jigger Jack danzava furiosamente. Le braccia e le gambe si agitavano sempre piú veloci. Il tip-tap dei suoi piedi era sempre piú sonoro, i suoi occhi dipinti sembravano brillare e il suo sorriso si fece sempre piú largo.

Improvvisamente Beth apparve nel granaio.

«Ho trovato il mio Jigger Jack!» strillò gioiosamente.

Si mise a battere le mani a tempo, e, contagiato dall'eccitazione generale, il nonno cominciò a ballare. Anche Bill e Ben stavano ballonzolando sulla porta del granaio, muovendo la testa su e giú a tempo di musica.

«Adesso sí che va tutto bene!» rise Beth. «Finalmente ho riavuto il mio Jigger Jack!»

Tese le mani e sembrò che il fantoccio, continuan-

do ad agitare le braccia e le gambe, le saltasse fra le dita. Poi svanirono tutti e due, rapidi come un lampo e il granaio divenne silenzioso. *threshing floor*

Il nonno e i ragazzi uscirono nell'aia, dove Bill e Ben li stavano aspettando, con le ali ripiegate, il becco chiuso, gli occhi sognanti, finalmente tranquille.

«Non posso crederci!» mormorò il nonno, quando si accorse che le verdure dell'orto, rovinate dai cavalli, erano miracolosamente tornate come prima, in file bene allineate. Sulla porta di casa c'erano i secchi di plastica pieni di more appena colte, e nella legnaia i ciocchi erano già tagliati e sistemati.

«No, ancora non riesco a crederci!» disse il nonno, tutto felice, mentre i ragazzi si preparavano per tornare a casa. «Adesso che Beth è contenta, posso restare qui finché vorrò. Voi due avete fatto veramente un gran bel lavoro!»

«Sí, è vero» annuí Nick, con modestia.

Harry si alitò sulle unghie e se le strofinò sulla maglietta per lucidarle, con noncuranza.

«E se nei dintorni qualcuno dovesse avere dei problemi con i fantasmi…» cominciò.

«State tranquilli» assicurò il nonno. «Vi manderò un'altra cartolina!»

blackberries

Il cimelio di famiglia *di Nan Hunt*

Fin dalla prima volta che udí quelle parole, "un vecchio cimelio di famiglia", Jerrol Hendricks sentí un brivido nella schiena. Cosí i genitori avevano definito la vecchia credenza ereditata dalla prozia Elnora, che fra non molto sarebbe arrivata in casa loro. Ma, intanto, bisognava farle posto.

«Alzati, Jerrol» le chiese la madre «e aiutami a spostare questo tavolo.»

«Com'è il cimelio, mamma? È davvero molto antico? È di valore?»

"È soltanto un impiccio, secondo me, comunque la zia di tuo padre ce l'ha lasciata, e quindi dobbiamo tenercela."

«Tu, mamma, quando papà andava a farle visita non lo accompagnavi mai?»

«Nei primi tempi del matrimonio, ma poi non piú» la signora Hendricks rabbrividí, poi si strinse nelle spalle come per cancellare dei brutti ricordi.

«Non ti piaceva?»

«No. Del resto anche lei mi trovava antipatica, anzi, penso che mi odiasse! Era una donna orribile.»

«Che cosa faceva?»

«Non saprei dirtelo. C'era qualcosa nei suoi occhi... ti guardava fisso per cercare i punti deboli, poi se ne usciva con un'osservazione che ti umiliava. Come un gatto che fa le fusa e a un tratto allunga la zampa e ti graffia. Amava il potere. Ma era una parente di tuo padre, perciò non dobbiamo parlar male di lei.»

«Non aveva sorelle?» chiese Gennessy, la sorella maggiore di Jerrol.

«Sí, tre, ma vivevano tutte per conto loro. Non andavano d'accordo. Da quello che ho sentito alle riunioni di famiglia, nella famiglia di tuo padre non si fa che litigare! Per questo ho smesso di andare a trovare la zia. Non volevo che anche noi fossimo contagiati da quella malattia. A quel tempo, Gennessy, ero incinta di te. Volevo che nella nostra famiglia andassimo tutti d'amore e d'accordo.»

«Bene, mamma, capisco. Ma allora perché ci prendiamo quella credenza in casa? A quanto pare non la volevi.»

«C'è l'usanza che passi in eredità alla seconda figlia di ogni generazione; però tuo padre non aveva sorelle e sua zia disse che avrebbe dovuto tenerla lui.»

«Per passarla poi a me?» Jerrol era la seconda figlia femmina.

«A meno che da qualche parte non ci sia una cugina di cui non sappiamo nulla. Sí, Jerrol, suppongo che sia destinata a te. Non ancora, naturalmente, ma… Forse.»

«E noi la useremo?»

«Naturalmente. Visto che dobbiamo averla in casa, vale la pena di adoperarla nel modo migliore.»

«Magari con un centrino rosa sul ripiano» mormorò Jerrol. «Bene, io quel vecchio rudere non lo voglio…»

«Aspetta che sia il momento, per preoccupartene» l'ammonì la madre.

«Quando la porteranno?»

«Questo pomeriggio. Gen, per favore va' a prendere la scopa. È incredibile quanta polvere si accumuli dietro le cose.»

La credenza arrivò alle quattro in punto. Jerrol aveva appena guardato l'orologio, quando il camion si fermò davanti alla casa. Gli uomini del trasloco erano grossi e muscolosi, ma quando finirono il lavoro avevano il fiato grosso.

«Non è brutta» disse Gennessy, passando la mano sul legno di quercia. *oak (tree)*

«Molto grossa, però» sottolineò sua sorella, in tono dubbioso. «Qui non c'entra, mamma.»

«Lo vedo, ma dove altro possiamo metterla?»

La credenza dominava la camera e sporgeva di parecchio oltre il muro di divisione che separava l'ingresso dal soggiorno. Aveva un grande specchio quadrato, festoni e spirali intagliate, e dei piccoli cassetti ai lati. Nella parte inferiore c'erano due ante e nella parte centrale due cassetti ampi e profondi, con la serratura di ottone decorato.

Gennessy era occupatissima ad esplorarla, quando Jerrol fece un salto indietro. Le era sembrato che qualcosa si muovesse, dentro lo specchio, ma quando guardò di nuovo non c'era altro che il riflesso della sua faccia e della stanza. Gennessy si appoggiò contro la credenza e studiò la sorella.

«Tu dovrai sposare un uomo ricco, Jerry. Ti ci vorrà una casa bella grande, per farci entrare questo colosso.»

«E chi vuole sposarsi?» replicò Jerrol.

Aveva già deciso che quella credenza non faceva per lei. Che se la tenesse Gennessy! La credenza le sembrava stranamente ostile. Era estranea a quella casa. Si stava già facendo beffe di loro, ed era là da appena dieci minuti.

«Prendi la cera per i mobili, Jerrol, e portami uno strofinaccio. Il legno, a vederlo, sembra molto secco, perciò non fare economia di lucido. E strofina forte.»

Jerrol andò a prendere gli strofinacci e passò la mezz'ora successiva a rimettere in sesto la credenza.

«Farò sparire quel sorrisetto sprezzante dalla tua faccia!» disse, strofinando vigorosamente.

Sfilò i cassettini per arrivare con la mano fino al legno della parte interna, e in uno di essi trovò una vecchia lista della spesa, scritta in inchiostro rosso su una busta ingiallita dagli anni. Jerrol sorrise, chiedendosi come doveva essere la signora che aveva fatto la lista. Senz'altro aveva una cameriera per pulire la casa. E l'inchiostro rosso? Tremendamente, tremendamente romantico!

Ma come mai i riflessi dei suoi movimenti davano l'impressione di scomparire in un qualche angolo ombroso dello specchio? Jerrol scosse la testa e riprese a strofinare accuratamente, ma stava in guardia come un gatto in un ambiente sconosciuto, con tutti i nervi tesi per percepire anche la minima vibrazione dell'aria.

Grazie alla cera e allo strofinaccio, il legno tornò a brillare di nuova vita. Jerrol lucidò anche le serrature e le maniglie, poi passò lo straccio umido finché lo specchio tornò a scintillare.

"Bene, questo ti farà star buona per un po' di tempo" disse alla credenza, tra sé.

«Di chi è stata l'idea di dipingere le facce sullo specchio della credenza?»

«Come hai detto, papà?»

«Hai sentito benissimo.»

«Ma non sono stata io. Io ho soltanto lucidato lo specchio. Forse Gennessy...»

«Venite a guardare, voi due.»

Dove lo sporco era stato strofinato via, sulla superficie dello specchio c'era una fila di facce. Erano facce dallo sguardo maligno, beffarde, ostili e orribili. Jerrol ansimò.

«Che facce spaventose!» disse.

«Razza di bugiarda!» gridò Gennessy. «Devi averle fatte tu, dato che io non sono stata.»

«Neppure io.»

«Allora sarà stata vostra madre!» Tutti scoppiarono a ridere, sapendo quanto era ridicola l'idea. «Comunque sia, Gennessy, prendi lo strofinaccio e cancella tutto.»

«È l'eredità di Jerrol, non la mia. Ci pensi lei.»

«Chi ha detto che è di Jerrol? Adesso fa' la brava bambina e pulisci, per favore.»

Gennessy si rassegnò. Il signor Hendricks passò un braccio intorno alle spalle di Jerrol.

«Hai fatto un buon lavoro con le pulizie, ragazza. Adesso la credenza ha un aspetto migliore.» Ma poi le prese il viso e la costrinse a guardarlo in faccia.

«Allora, com'è andata con quelle facce?»

«Sinceramente, papà, non le ho fatte io.»

«Hmm.»

«Perché non vendi la credenza, papà?»

«È antica, un pezzo di grande valore. La prozia Elnora si aspettava che ce ne prendessimo cura.»

«A mamma non piace.»

«E a voi due? A voi piace?»

«No. E noi non piacciamo a lei. Io penso che sia odiosa.»

«Ma è una cosa inanimata, Jerrol. Non può pensare e provare dei sentimenti.»

«Mah!» Jerrol non ne era tanto sicura.

«Bisogna che tu tenga a freno l'immaginazione, o ti metterai nei pasticci.»

«Stai scherzando, papà.»

«Non ne sono del tutto sicuro» disse suo padre, lentamente. «Comunque, noi tutti dobbiamo imparare a convivere con questa credenza, per cui faremo bene a cominciare subito: ignoriamola, come tutti gli altri mobili.»

Ma non era facile. A causa delle sue dimensioni, la credenza dominava la stanza e, dato che sporgeva dalla parete, tutti vi andavano a sbattere contro. L'unica cosa che non potevano fare era proprio ignorare la credenza.

Jerrol, per la verità, cercò di seguire il consiglio di suo padre e per un po' riuscí a trattare la credenza come se fosse stata un mobile qualsiasi.

I problemi cominciarono soltanto dopo che Gennessy cambiò atteggiamento: sembrava che stravedesse per la credenza. Stava sempre ad aprire i cassetti, cercando scomparti segreti; annusava deliziata l'odore di vino vecchio che impregnava il vano riservato alle bottiglie; non si stancava mai di mettere a posto le porcellane riposte in uno degli armadietti. Quando Jerrol, ogni settimana, puliva e spolverava la credenza, Gennessy la sorvegliava per essere certa che facesse bene il lavoro. Jerrol era tentata di darle lo strofinaccio e di lasciare che facesse lei.

"È lo specchio!" pensò Jerrol a un tratto. "Dipende dallo specchio, non dal legno. Il legno fa le fusa, quando viene pulito. Gli piace che ci si prenda cura di lui. Posso sentirlo stiracchiarsi e rilassarsi, quando lo strofino. È lo specchio! Mi chiedo se è quello originale."

Non c'erano parenti ancora vivi che conoscessero la storia di quel pezzo di antiquariato. Jerrol insistette con il padre perché cercasse di scoprire tutto ciò che era possibile, specialmente sullo specchio.

«Perché vuoi saperlo, Jerrol?»

«Se ve lo dico penserete che sono matta.»

«Lo sappiamo già che sei matta, per cui non fa alcuna differenza» ribatté Gennessy. «Raccontaci.»

«Se quella credenza è cosí odiosa dipende tutto dallo specchio» disse Jerrol, tutto d'un fiato. «Il legno è contento quando ci si prende cura di lui e non credo che per lui faccia differenza dove si trova adesso, dato che le cure non gli mancano. Capite ciò che voglio dire?»

«No.»

«Forse odia soltanto me» proseguí Jerrol. «Forse non odia voi altri perché non...»

«Non siamo noi gli eredi?»

«Sí, suppongo che sia cosí.»

«Non ha senso» affermò il signor Hendricks, con voce sonora.

«Mamma, sei sicura che Jerrol non abbia bisogno di un buon ricostituente?»

«Ma quello specchio è strano» rispose la signora Hendricks. «Qualche volta sembra che dal suo interno vengano dei colpi... Quanto al resto, no, non credo che Jerrol abbia qualcosa che non va.»

«È il suo cervello che non funziona» disse Gennessy, perfidamente. E aggiunse subito, accorgendosi che i suoi genitori si erano accigliati: «Oh, solo un po', niente di grave.»

Le due sorelle erano sempre state buone amiche. Il cambiamento di Gennessy avvenne piano piano, tanto che dopo qualche settimana cominciò a stuzzicare e a perseguitare Jerrol, anche se mai in presenza dei genitori. E Jerrol non diceva nulla al padre e alla madre, perché ogni singolo episodio era cosí insignificante che non valeva proprio la pena di parlarne, anche se poi la somma dei tanti episodi diventava sgradevole.

Lo specchio era molto soddisfatto di tutti quei dispetti. Gennessy di solito stuzzicava la sorella proprio quando stava spolverando e pulendo la credenza, e una volta si spinse tanto oltre, che a Jerrol spuntarono le lacrime agli occhi. Lei si voltò, per evitare che Gennessy se ne accorgesse, e con grande sorpresa vide nello specchio una striscia di facce beffarde. Si strofinò gli occhi per asciugarsi le lacrime e guardò meglio.

59

«Piagnona!» Gennessy la prese in giro. «Ipocrita, anche! Ti guardi nello specchio per vedere se hai un aspetto abbastanza tragico! Sei disgustosa.»

«Io non… Io non… Gennessy, ma perché sei sempre cosí sgarbata con me?»

«Sgarbata? Santo cielo, non ho neanche cominciato. Tu non sei adatta a prenderti cura della tua eredità. Ora, se io…» Si interruppe, si morse un labbro, poi scoppiò in una risata. «Povera Jerrol!» esclamò con condiscendenza. «Povera, povera piccola ereditiera! Ti dispiacerà moltissimo diventare la proprietaria della credenza, non dimenticare le mie parole!»

Per coprire lo specchio che le causava tanta angoscia, Jerrol ebbe un'idea: colse una gran quantità di fiori e li sistemò in alcuni vasi, che mise sul ripiano della credenza. Gennessy rise:

«Che bel lavoro hai fatto! Sembra quasi un fun… matrimonio.»

«Cos'è un fun-matrimonio?» si informò la madre. «Uno di quei nuovi modi di dire che vanno di moda a scuola?»

«No, lei voleva dire "funerale"» disse Jerrol, guardando la sorella «soltanto che non ha avuto il coraggio di dirlo davanti a te. Non è cosí?»

«Faresti bene a tenere sotto controllo la tua immaginazione, Jerrol» disse Gennessy, imitando il padre. «Oh, come sarò contenta quando sarai cresciuta. Sei soltanto una ragazzina sciocca.»

«Smettetela, voi due. Jerrol ha undici anni, Gen, non dimenticarlo. Non è piú una bambina piccola.»

«Allora è il suo cervello che è piccolo. Suppongo che dovrò aver pazienza ancora per qualche anno. Povera piccola Jerrol.»

Cominciarono gli incubi. Una notte Jerrol si rigirò tanto nel letto, che finí per cadere e si svegliò urlando. Tutto quello che riuscí a ricordare fu che qualcuno stava cercando di spingerla dentro il cassetto inferiore della credenza. No, non era esattamente "qualcuno": erano molte mani, mani senza corpo, che la stringevano e la spingevano. Andò in cucina a prendersi un bicchiere d'acqua e lo bevve lentamente, per calmarsi i nervi. Ma ritornando a letto qualcosa la indusse ad accendere la luce nel soggiorno.

I vasi sulla credenza erano stati spostati; uno era capovolto e i fiori erano stati schiacciati. Jerrol cercò un panno e si mise ad asciugare. Il panno era di mussola a fiori. Mentre puliva, un angolo della stoffa si impigliò negli intagli, si strappò e cadde a terra.

Senza neppure sapere perché, Jerrol lo raccolse e lo portò in camera sua, dove lo nascose dentro un grosso dizionario. Dormí profondamente per il resto della notte e il mattino si svegliò tardi.

In tutta la casa cominciarono ad accadere piccole stranezze. I libri si spostavano, i coperchi scivolavano giú dalle loro scatole, gli abiti cadevano dalle stampelle e si ammucchiavano disordinatamente sul fondo dell'armadio. La signora Hendricks non capiva come potesse accadere. Le sue figlie erano normalissime ragazze con abitudini altrettanto normali, ma dopo anni di esercizio avevano imparato che essere ordinate è fondamentale. I nervi degli adulti tendevano a saltare, quando venivano infrante le regole della loro casa. Gennessy accusava Jerrol, Jerrol protestava la sua innocenza, ma lo faceva con qualche esitazione, perché aveva le sue idee su chi dovesse essere rimproverato.

Sua madre finí per accorgersi di quelle esitazioni e si accigliò:

«Non so che cosa ti stia succedendo da qualche tempo, Jerrol.»

«È colpa del cimelio di famiglia» disse Jerrol, allargando le braccia in un gesto senza speranza. «È infido e... e spaventoso. Mamma, non potremmo sbarazzarcene?»

«Ma perché? Te ne prendi tanta cura... Pensavo che ti piacesse.»

«È a Gennessy che piace, non a me. Mamma, la credenza... loro... loro vogliono che io mi tolga di mezzo.»

«Oh, Jerrol! Davvero spingi la tua immaginazione troppo oltre.»

«Loro vogliono che sia Gennessy a possedere la credenza» insistette Jerrol, ma a mezza voce.

Una sera il signor Hendricks arrivò a casa con un grande album di fotografie sotto il braccio.

«Lo schedario fotografico dei criminali» scherzò. «Poi c'è un vecchio ritratto della prozia Elnora che porteranno piú tardi. Intanto guardate questo.»

Ci stringemmo intorno a lui e studiammo le foto sbiadite. Secondo le tradizioni dell'epoca, i grandi gruppi di famiglia erano in pose rigide e portavano abiti carichi di ornamenti, e tutti erano identificabili dai nomi scritti in inchiostro bianco sulle pagine grigie dell'album. C'erano anche alcune fotografie dei ritratti a olio di antenati.

«Chi è questa?» esclamò Jerrol. «Questa faccia l'ho già vista.»

«Lucy? Era la figlia maggiore di Mabel. Ma dove mai hai visto la sua fotografia?»

«Non la foto, lei in persona» mormorò Jerrol.

Era una delle facce sullo specchio.

«È impossibile. È morta prima che tu nascessi. Probabilmente ti ha colpito qualche rassomiglianza di famiglia.»

«Gennessy è un po' come lei» osservò la signora Hendricks. «Guardate la fronte e le labbra.»

«Smettila, mamma. Diamo un'altra occhiata. Ecco ancora lei, in un'altra foto. Guardate il vestito! Aiuto! Sono felice che oggi non si debbano piú portare bardature del genere!»

Quella notte Jerrol trasferí il pezzo di mussola strappata dal dizionario alla sua Bibbia. Al mattino i libri erano sparpagliati per tutta la stanza, e sulla credenza c'era un segno lungo e profondo. Jerrol tentò di pulirlo. Per tutto il tempo che si dedicò a quel lavoro ebbe la sensazione che degli occhi la stessero osservando, ma quando girava la testa di scatto, nello specchio vedeva soltanto uno sbuffo di velo (o di camicia?) e il riflesso del resto della stanza. Non riuscí a togliere il graffio e dovette chiamare suo padre.

«Come hai fatto a fare questo graffio, Jerrol?»

«Non l'ho fatto io, papà. C'era già questa mattina, quando mi sono alzata.»

«Proverò con la pasta da restauro. Ma come è possibile che sia stato fatto un segno come questo?»

«È stata la protesi di Martha» disse Jerrol, senza neppure sapere quello che stava dicendo.

«Accusare qualcuno che neppure è vivo, Jerry? Proprio la protesi di Martha!»

Grazie alle foto dell'album, adesso Jerrol conosceva tutte le ragazze dello specchio. Si era accorta che Martha doveva portare uno di quegli apparecchi di ferro fatti per sostenere una gamba debole e malata, come quelli che una volta venivano usati per i poliomielitici.

Il fatto che le ragazze delle foto fossero sue antiche parenti, e che adesso le conoscesse tanto da poter dare a ciascuna il suo nome, non le rendeva meno odiose. E in effetti quelle si fecero sempre piú maligne e provocanti. Jerrol sapeva che doveva fare qualcosa. Si piazzò davanti alla credenza e guardò nello specchio, come per chiamarle a raccolta. Loro arrivarono a una a una, mettendosi in posa come per una fotografia. Martha doveva stare in piedi per via della protesi alla gamba, nascosta sotto la lunga gonna. Una delle ragazze cercava di nascondere con le dita uno strappo nella sua gonna di mussola a fiori. Guardavano da tutte le parti, ma non verso Jerrol.

«Guardatemi!» le sfidò lei.

Lentamente i colli si allungarono, le teste si girarono. Guardarono Jerrol come se fosse un obiettivo fotografico che sporgeva da sotto il panno nero, come nelle vecchie macchine. Jerrol si sentí come se qualcuno le avesse infilato un pezzo di ghiaccio nella schiena. Poi sospirò. Al gruppo si era aggiunta una ritardataria: una ritardataria in blue-jeans e maglietta a righe bianche e rosse. Gli abiti di Gennessy! La nuova venuta si scostò i capelli dagli occhi e scrutò sua sorella.

Jerrol svenne.

Quando riprese conoscenza trovò sua madre china su di lei, che la chiamava per nome:

«Jerrol, Jerrol, svegliati! Come mai sei caduta in terra?»

«Credo di essere svenuta» mormorò Jerrol. «Dov'è Gennessy?»

«Non è ancora tornata a casa. È andata a giocare a tennis con Sylvie.»

«Oh!» Jerrol chiuse gli occhi.

«Va' a metterti a letto, bambina mia. Sei bianca come uno straccio. Intanto io telefono al dottore.»

«No, non serve, va tutto bene. È stato lo shock.»

«Quale shock?»

«Non posso spiegarti. Si tratta della credenza.»

«Oh, no, non cominciamo un'altra volta! Veramente, cara, quella credenza per te è diventata un'ossessione.»

«Che cosa facevi nello specchio?» chiese Jerrol alla sorella, piú tardi.

«Tu sei pazza!» Gennessy scoppiò a ridere, ma poi la guardò meglio e cambiò tono: «No, parli seriamente. Allora raccontami.»

Jerrol non sapeva come, ma riuscí a mettere le parole in fila l'una dietro l'altra. Gennessy l'ascoltò in silenzio, con uno sguardo strano sulla faccia.

«Pensi che la credenza stia arrivando al punto di prendere la casa sotto il suo controllo, non è vero?» chiese, quando Jerrol ebbe finito.

«Forse. Non lo so. Gennessy, non parlarne a papà e mamma, ti prego. Del fatto che ti ho vista nello specchio.»

«Perché?»

«Penserebbero che sto diventando matta.»

Bene, ormai era detta. Jerrol si domandò se davvero non stesse uscendo di senno. Trattenne il respiro, aspettando la reazione della sorella.

Gennessy lasciò che il silenzio gravasse nella stanza, scrutandola con lo stesso sguardo che Jerrol aveva visto nello specchio.

«C'è sempre una possibilità, credo, povera vecchia Jerrol! Però se fossi in te non me ne preoccuperei piú di tanto. Bene» si alzò «adesso devo andare a fare la doccia.»

Jerrol si sentí di ghiaccio. Piú si sforzava di pensare, meno coerenti si facevano i suoi pensieri. Eppure doveva esserci qualcosa da fare. Forse doveva far esorcizzare la credenza. Ma chi le avrebbe creduto? Non aveva alcuna prova, tranne il graffio sul legno e l'angolo di mussola. Jerrol aprí la Bibbia dove aveva messo il pezzetto di stoffa. Gli occhi le caddero su una frase: "Ama coloro che ti odiano."

"Come potrei?" disse Jerrol, tra sé. "È troppo difficile".

"Tu puoi, lo sai benissimo" replicò una voce dentro di lei.

"Io non so che fare". La voce della ragazza era un sussurro disperato, un'invocazione.

"Pensaci."

Sembrava suo padre quando Jerrol si trovava nei pasticci e non sapeva come cavarsela.

"Dio ti ha dato l'intelligenza" le diceva. "Usala."

A mezzanotte Jerry si svegliò con la testa pesante e la bocca asciutta. Doveva aver sognato qualcosa di spaventoso, perché in qualche angolo della sua mente c'era un residuo di terrore, ma non riusciva a ricordare. Non poteva ricordare. Andò in cucina per bere un bicchiere d'acqua.

La credenza la chiamò dal soggiorno. Per un attimo cercò di resistere, poi, quasi contro la sua volontà, andò verso il mobile. Le sue dita raggiunsero l'interruttore e lo accesero. Lo specchio fu colpito in pieno dalla luce improvvisa e la rifletté nei suoi occhi, accecandola per un attimo. Jerrol batté le palpebre e si scostò un poco.

Erano tutte là. Lei le chiamò mentalmente, una dopo l'altra, con i nomi che aveva imparato dall'album di fotografie.

Il cuore prese a batterle tanto forte da farle male. Le chiamò di nuovo, stavolta ad alta voce. Qualcosa le scattò nella mente.

«Voi siete tutte sorelle!» mormorò. «Ciascuna di voi lo è di qualcun'altra. Sorelle minori e sorelle maggiori... E anche Gennessy lo è. Dev'essere per questo che...»

L'immagine nello specchio ondeggiò e si restrinse verso i bordi, poi si riformò. L'odio scintillava in ogni paio di occhi.

Jerrol non poteva muoversi, a stento poteva respirare. Da un momento all'altro l'odio poteva farla morire.

"Ama coloro che ti odiano" una voce le risuonò nella mente.

«Poverine!» disse Jerrol. «Siete tutte prigioniere, non è vero? Voi tutte desideravate la credenza e non avete potuto averla. È stata davvero una idea malefica, quella di questo cimelio di famiglia! Non so come sia andata, ma ha fatto diventare tutte voi gelose della propria sorella. Vi ha messo l'una contro l'altra. Non è giusto, tutto quest'odio, tutta questa invidia. È soltanto un vecchio mobile...»

«Parla per te!» Gennessy stava dietro di lei e la guardava nello specchio.

Jerrol non si voltò. Sapeva, con improvvisa certezza, che tutto sarebbe andato bene fino a quando Gennessy non si fosse unita alle ragazze nello specchio, come aveva fatto il giorno in cui lei era svenuta. Il riflesso di Gennessy cominciò a muoversi.

«No, no, Gennessy, non devi! Rimani, ti prego! Oh, Dio, aiutami!»

Gennessy rimase ferma e Jerrol si sentí invadere la mente da una grande calma. Parlò alle ragazze nello specchio:

«Qualcuno deve liberarvi. Dovete tornare nel posto da cui siete venute. Adesso rompo lo specchio, cosí potete liberarvi.»

Jerrol afferrò un portacenere di marmo, un ricordo della Grecia, e lo scagliò contro lo specchio con tutta la sua forza.

Ci fu un urlo che sembrò composto da molte voci, dietro lo specchio che andava in frantumi, e un grido di Gennessy quando una scheggia dello specchio la colpí a una gamba. Poi il silenzio assoluto, fino a quando i loro genitori si precipitarono nella stanza, spaventati, per vedere cos'era successo.

Le due ragazze rimasero come sospese, guardandosi, poi corsero l'una nelle braccia dell'altra. Gennessy carezzò la faccia sconvolta della sorella.

«Io non voglio odiarti» singhiozzò. «Sono state loro a costringermi, prima.»

Lo specchio non venne mai sostituito. Il signor Hendricks decise che quello era il posto piú adatto per il ritratto della prozia Elnora. Il quadro occupava esattamente lo spazio rimasto vuoto.

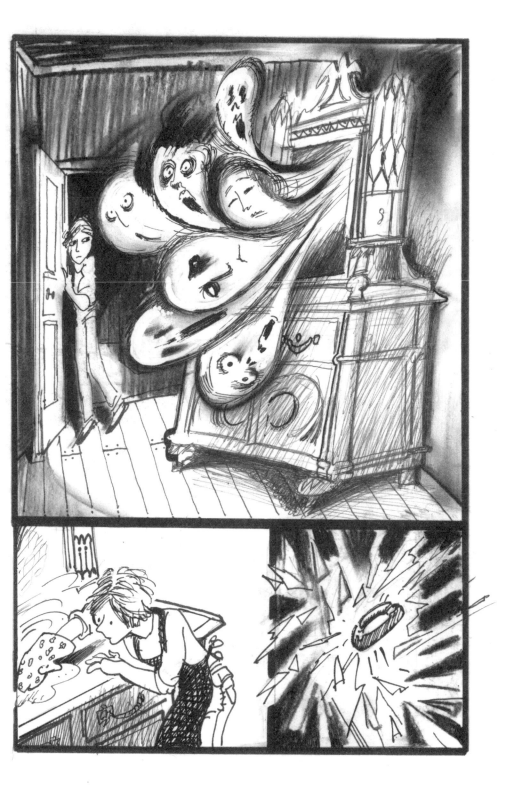

«Non è un dipinto a olio» disse. «È solo una vecchia crosta.»

Si meravigliò perché sua moglie si era messa a ridere.

«Sei un tipo divertente» si giustificò la signora Hendricks. «La definizione è perfetta.»

«Voi che ne pensate, ragazze? È questo il posto giusto per lei?»

«Non potrebbe essercene uno migliore» affermò Gennessy.

«E si è ripresa il suo cimelio di famiglia» aggiunse Jerrol, allegramente.

La prozia Elnora, in una posa così rispettabile, con le spalle diritte e il portamento altero, li guardava dall'alto del quadro con un lieve lampo maligno negli occhi.

Il fantasma bambino *di Emma Tennant*

A Melly non erano mai piaciuti gli ultimi giorni di scuola, prima delle vacanze estive. Sembrava che tutti, nella sua classe, avessero dei programmi eccitanti. Anna, l'amica di Melly, stava per andare in Francia. Diceva che là il mare era tanto azzurro che ci si poteva tuffare in ogni minuto del giorno. Jane, un'altra sua amica, sarebbe andata a lavorare come aiutante in una vera scuderia, dove avrebbe anche potuto montare i cavalli. Soltanto Betta, che era un po' piú piccola e abitava nella casa accanto, rimaneva sempre a Londra, dove Melly sarebbe tornata dopo aver passato quindici giorni dalla nonna.

Ma quell'estate anche Betta aveva dei programmi per le vacanze.

«Dove andrai, esattamente?» le chiese Melly.

La campanella era appena suonata e i banchi sarebbero rimasti vuoti e solitari fino alla riapertura delle scuole.

Betta non avrebbe voluto rispondere. Si era già vantata con i compagni che sarebbe andata in America, ma era diventata lo zimbello di tutti quando, in risposta alle loro domande, aveva parlato di un posto chiaramente immaginario e inesistente.

A Melly nessuno si era preso la briga di chiedere dove sarebbe andata. Ma questo dipendeva dal fatto che le vacanze di Melly erano sempre le stesse: il viaggio in treno attraverso la campagna piatta, fino alla casa dei nonni, il controllore che passava nel corridoio mentre lei guardava i campi gialli e le grandi chiese, e infine il nonno che la aspettava all'uscita della stazione, nella sua automobile antiquata. Poi c'erano quindici giorni da trascorrere senza nulla da fare. Melly non aveva mai da raccontare notizie eccitanti.

Tutti i ragazzi sciamavano allegramente, fischiando e cantando, giú per la lunga strada che passava davanti alla scuola.

«Andiamo a casa insieme» disse Melly a Betta.

Betta e Melly facevano insieme la strada fino a casa. Una lunga camminata è piú divertente, se per tutto il tempo si gioca a non toccare mai con i piedi le righe tra i lastroni del marciapiedi, o a trovare una parola che contenga le stesse lettere scritte sulle targhe delle auto.

«Torta!» gridò Betta, quando passò accanto a loro il furgone del portalettere, la cui sigla sulla targa era TRT: lei aveva appena festeggiato il suo compleanno e l'associazione d'idee era stata inevitabile.

Però Melly non aveva voglia di giocare. Camminava pensierosa, senza neppure badare alle fessure fra le lastre di pietra su cui metteva i piedi.

Adesso era il suo turno.

«Valigia!» gridò, leggendo sulla targa di un'auto nera la sigla VLG. Poi aggiunse: «Mi piacerebbe andare in qualche bel posto, come te. Ma tu dove andrai, Betta? Se me lo dici, ti prometto che non lo racconterò a nessuno.»

Betta non volle rispondere, e raggiunse saltellando allegramente il cancello della sua casa. La signora Brown, che stava alla finestra ad aspettarla, la salutò con la mano.

«Melly, vieni a prendere il tè con noi» disse la donna. «Tua madre ha suonato per avvertire che stasera tornerà a casa tardi dal lavoro.»

«Molte grazie» disse Melly.

Si sentí piú triste che mai quando entrò nella casetta dei Brown. Era dispiaciuta che sua madre non potesse rientrare prima, la prima sera delle sue vacanze. Il giorno dopo Melly sarebbe partita per andare dai nonni, quindi avrebbe avuto appena il tempo di salutarla.

«Non prendertela, Melly. Tu sai quanto lavora tua madre» disse la signora Brown, quasi avesse indovinato quello che la ragazzina stava pensando. «Spalma un po' di marmellata di more sulle frittelle. Le abbiamo colte quando siamo andate in campagna, l'estate scorsa. Te le ricordi, Betta?»

Melly si sentí un po' meglio quando ebbe mangiato le frittelle e la torta. Perciò disse a Betta, in tono di scherno:

«Sai, credo che non andrai in vacanza da nessuna parte. Andrai semplicemente qualche giorno a raccogliere more, come hai fatto l'anno scorso.»

«No, no» disse la signora Brown, scoppiando a ridere. «A Betta sta per succedere qualcosa di speciale. Solo che ancora non sa cos'è.»

Poi tornarono a casa i fratelli di Betta e si sentí un rumore terribile di pallonate e di calci. Loro erano dei maschiacci chiassosi e prepotenti e non avrebbero fatto altro che giocare a calcio tutto il giorno.

74

Melly giocò a carte con Betta fino a quando arrivò sua madre a prenderla. Fecero insieme il breve tratto di strada fino alla loro casa.

Il primo giorno di vacanza andò come sempre. Ci fu il lungo viaggio in treno, e ci fu il nonno nella sua buffa automobile antiquata. Ci fu l'ultimo tratto nell'auto che ruggiva e sferragliava sulla strada sconnessa. Ci fu la nonna, che coglieva rose nel giardinetto davanti casa e andò incontro alla nipote a braccia aperte.

Dentro, tutto era esattamente come l'ultima volta. I quadri di velieri su mari tempestosi appesi alla parete lungo le scale. Il pianerottolo con la chiazza bruna dove una volta Melly aveva rovesciato un bicchiere di acquerello. Melly salí le scale senza preoccuparsi di chiedere dove doveva andare: lo sapeva perfettamente.

Ma questa volta ci fu qualcosa di diverso. In principio Melly non si accorse che in cima alle scale c'era una porta aperta: la porta di una stanza dove non era mai stata prima. Passò oltre senza dare neppure un'occhiata dentro; ma quando ridiscese per la cena, la porta era chiusa.

Dopo cena, Melly disse che sarebbe uscita per fare una passeggiata. Si sentiva già sola e annoiata. Il nonno e la nonna erano simpatici, ma intorno, nel raggio di chilometri, non c'era nessuno della sua età con cui giocare.

«Preferirei andare da sola» rispose, quando il nonno si offrì di accompagnarla.

Andò in giardino. Stava cadendo la notte e sotto gli alberi c'erano lunghe ombre.

E quando Melly si girò per guardare la casa ebbe la sua prima sorpresa. Al piano superiore era accesa una luce, e sapeva che non era la sua, perché la sua stanza aveva tende rosse alla finestra. Avrebbe potuto essere la camera da letto dei nonni, ma non lo era.

Improvvisamente, Melly si sentí correre un brivido gelido lungo la schiena, mentre dal giardino, che nel frattempo si era fatto completamente buio, restava a guardare un rettangolo di luce in una stanza che non poteva esserci.

«Sí, quella è la mia camera» disse una voce, proprio dietro di lei. «Di notte lascio sempre la luce accesa, per poter ritrovare la strada.»

Melly si girò di scatto. Il suo cuore batteva forte. Ma il ragazzo che adesso le stava davanti non sembrava prepotente o villano come i fratelli di Betta. Melly notò che aveva capelli puliti e ben pettinati, con la scriminatura da una parte, e che indossava un grembiule da scuola stranamente lungo. Ma il suo viso era simpatico e sorridente.

«Vuoi che ti insegni qualche esercizio?» disse il ragazzo. «Te ne insegnerò qualcuno, se già non lo conosci.»

Se c'era una cosa che Melly adorava era fare ginnastica. Avrebbe tanto desiderato passare piú tempo in palestra.

«Sí, grazie» disse Melly; poi aggiunse, timidamente: «Come ti chiami?»

Ma il ragazzo era già corso avanti. Si fermò su un fazzoletto di prato che al chiaro di luna appariva pallido e soffice, e fece segno a Melly di raggiungerlo, alla luce dei fanali di un carretto.

Melly non ricordava di essersi mai divertita tanto. Il prato era leggermente umido e deliziosamente profumato di muschio, e lei, piena di allegria e di entusiasmo, guardò ridendo e battendo le mani gli esercizi acrobatici che il ragazzo le mostrava, e poi fece del suo meglio per imitarli. Giocò a scaricabarili, stette in equilibrio a testa in giú, si esibí in tutti i tipi di capriole, camminò come i granchi, provò persino il doppio salto mortale. Quando si fermò per concedersi un po' di riposo, lui subito la raggiunse e lei si rese conto di quanto fosse contento della sua compagnia.

«Quante cose nuove, dai miei tempi!» disse. «È eccitante. Sono convinto che, quando ti vedranno, ti offriranno di fare la "cascatrice" in un film.»

Melly credette di notare nei suoi occhi un'ombra di malinconia.

«I film di quando ero ragazzo» aggiunse lui «non erano emozionanti come quelli di oggi.»

«Ma tu sei un ragazzo» replicò Melly. «Lo sei, no? Ti prego, dimmelo.»

«Io sono Rick» disse il ragazzo. «Sono il fratello di tuo nonno. E lui tiene la camera sempre preparata per me, esattamente come quando erano ancora vivi mio padre e mia madre.»

«Vivi?» chiese Melly, prima di riuscire a trattenere la parola che le era salita alle labbra.

Perché, ovviamente, Rick non poteva essere vivo. Adesso sarebbe stato vecchio come il nonno.

«Andiamo, facciamo la corsa delle carriole» propose il ragazzo.

Anche questo era un gioco che Melly conosceva già. Camminò con le mani a terra, mentre lui le teneva le gambe sollevate come le stanghe di una carriola. E in quel modo tornarono a casa, per poi ritrovarsi nella stanza che Melly non aveva mai visto prima. Era come in un sogno: appena un istante prima erano ancora in giardino, sul prato illuminato dalla luna.

«Io non sono morto quando ero ancora ragazzo» disse Rick all'improvviso, come se avesse letto nei pensieri di Melly.

La camera di lui era letteralmente tappezzata di diplomi e coppe d'argento: Melly si rese conto che Rick doveva essere stato molto bravo in ginnastica e in tutti gli altri sport.

«Sono stato ucciso durante l'ultima guerra» spiegò Rick «ancora prima che tua madre nascesse.

Ero pilota di un aereo da caccia, e venni abbattuto sulla Germania.»

«Perché, allora...» iniziò Melly.

«Sono tornato qui come ragazzo perché tuo nonno ha conservato intatta la mia camera» spiegò Rick. «E perché qui sono stato felice. Guarda la mia collezione di farfalle, Melly.»

Ma Melly aveva preso in mano una grossa coppa d'argento.

«Che bella coppa, Rick!» esclamò. «L'hai vinta in qualche gara?»

«Oh, quella» disse Rick, con un gesto di noncuranza. «L'ho avuta per una gara di nuoto. Rana e tuffi dal trampolino, per la precisione.»

«Tuffi dal trampolino!» esclamò Melly. «Ecco qualcosa che ho sempre desiderato fare.»

«Molto bene» disse Rick. «Se domani notte verrai a trovarmi in giardino, ti insegnerò come si fa.»

«Ma in giardino non c'è una piscina» si meravigliò Melly.

«Aspetta e vedrai» disse Rick, posandole le mani sulle spalle. Poi mormorò: «Hai sentito la pendola, Melly? È mezzanotte. Adesso devi andare.»

E Melly sapeva, uscendo dalla stanza di Rick, che non avrebbe dovuto girarsi indietro. La stanza di Rick non sarebbe piú stata là.

Il giorno dopo Melly uscí presto e tornò sul pianerottolo, ma della camera di Rick era scomparsa anche la porta. C'era soltanto la vecchia tappezzeria, la stessa che aveva sempre visto.

Le sembrò che la giornata non passasse mai, fino a quando fu ora di cena, e come sempre il nonno stava seduto nella sua poltrona, mangiando rumorosamente la sua zuppa.

«Nonno?» iniziò Melly.

«Mmmm…» rispose il nonno, fra una cucchiaiata e l'altra.

«Qui c'è… voglio dire, c'è stato… un ragazzo chiamato Rick?»

«Rick?» il nonno le rivolse uno sguardo sorpreso. «Sí, Melly, mia cara. Era il mio fratello minore. Perché me lo chiedi? È venuto a conoscerti?»

«Sí» disse Melly. «La notte scorsa.»

«E desidera tanto tornare anche stanotte» aggiunse il nonno, scuotendo la testa tristemente. «Povero Rick.»

«Perché? Perché "povero Rick"?» a un tratto Melly capí che non voleva ascoltare quel che il nonno stava per dirle.

«Rick torna qui soltanto una notte ogni anno» disse il nonno. «La notte scorsa era l'anniversario della notte in cui fu ucciso.»

«Oh» esclamò Melly «dunque non potrò vederlo piú?»

«Forse l'anno prossimo» disse il nonno, con gentilezza.

Terminò la zuppa e la nonna portò dei toast al formaggio.

«Hai avuto fortuna a incontrarlo stavolta» disse il nonno, mentre la nonna annuiva a Melly e sorrideva. «Lui di solito si limita a salutarci e sale nella sua camera a vedere la collezione di farfalle e quella di francobolli. Io cerco sempre di mettergli da parte un bel po' di francobolli.»

Il nonno sorrise e aggiunse:

«Deve averti preso in grande simpatia.»

Melly non aveva voglia di andare a dormire, quella sera. Quando la nonna le augurò la buonanotte, finse soltanto di salire in camera sua e di mettersi il pigiama. Perché, naturalmente, non credeva che non avrebbe mai piú rivisto Rick. Sapeva che lui era in giardino e la stava aspettando.

Invece non c'era. Sul giardino splendeva la luna piena e ogni ombra sotto gli alberi le sembrò quella di Rick. Ma quando Melly si avvicinava trovava soltanto l'erba scura, coperta di rugiada.

Melly avanzò lungo il sentiero e sul prato dove lei e Rick avevano fatto le capriole e la carriola.

Come ci arrivò, sentí il suo corpo farsi piú leggero e una brezza leggera che le accarezzava le spalle e la schiena. Quando abbassò gli occhi, si accorse che adesso indossava un costume da bagno nero. Davanti a lei il prato scintillava al chiaro di luna, ma a brillare, adesso, era vera acqua, non soltanto la rugiada sull'erba.

Il prato era diventato una grande piscina. Melly poteva vedere persino i trampolini che sporgevano da uno dei bordi.

«Adesso, Melly» disse una voce tranquilla «raggiungi la parte opposta della piscina. Stai per fare un tuffo perfetto.»

Melly girò tutt'intorno alla piscina, velocemente. Era la voce di Rick, quella che aveva sentito: nonostante tutto era venuto! Si rese conto che sorrideva, sola nel giardino in ombra. Percorse il lato più lungo della piscina, chiedendosi quando lui sarebbe venuto fuori dagli alberi: sapeva che non si sarebbe mai azzardata a fare il suo primo tuffo dal trampolino da sola.

«Sali su» disse la voce, quando Melly ebbe raggiunto il trampolino. «Mi spiace, Melly, stasera non posso essere con te. Ma se ti tufferai veramente bene, ti regalerò la mia coppa d'argento.»

Melly non era mai stata tanto spaventata in tutta la sua vita. Salí sul trampolino e quando guardò giú fu scossa da un tremito.

«Adesso alza le braccia» disse la voce di Rick «e piega la testa in avanti.»

«Non posso!» gridò Melly: la sua voce riecheggiò nel giardino deserto. «Davvero non posso!»

Mentre parlava, sentí una leggera spinta alle spalle: le sue braccia si allungarono in avanti e la sua testa si chinò. Adesso stava cadendo, cadendo, nell'acqua sotto di lei.

«È stato un tuffo perfetto» la voce di Rick era eccitata, mentre Melly tornava in superficie e guardava oltre il bordo della piscina inondata di luce lunare. «Ben fatto, Melly. Adesso prova il salto mortale.»

Se qualcuno avesse detto a Melly che sarebbe diventata capace di tuffarsi in quel modo, lei avrebbe fatto una risata. Tuffi all'indietro, con tre giravolte a mezz'aria. Sarebbe andata avanti all'infinito. Ma...

«Per questa volta basta cosí, Melly» disse la voce di Rick. «Torna a casa e troverai la coppa d'argento nella tua camera.»

«Rick?» continuò a chiamare Melly, mentre camminava sul sentiero che dalla piscina portava a casa.

«Sí, Melly. Che c'è?» la voce di Rick adesso arrivava da molto lontano, e Melly si accorse di essere di nuovo in jeans e maglietta, che le impacciavano un po' i movimenti, come fanno i vestiti quando non c'è stato tempo di asciugarsi.

«Rick, puoi venire a trovarmi a Londra?»

Ci fu una pausa, e solo quando Melly aprí la porta del giardino le giunse la voce di Rick, cosí debole da assomigliare a un alito di vento fra le foglie.

«Forse sí, Melly; ma non sarà la stessa cosa.»

Quando arrivò il giorno di tornare a casa, Melly promise a se stessa che non avrebbe raccontato a nessuno di Rick, neanche a Betta o alla mamma.

Ma era una promessa dura da mantenere. La nonna aveva impacchettato la coppa d'argento di Rick, e la mamma la vide quando disfece il pacco. Melly disse che era stato il nonno a dargliela. La mamma sembrò non crederle affatto. Ma Melly ricordò il sorriso speciale della nonna, quando aveva avvolto la coppa in un foglio di giornale e l'aveva messa in valigia. La nonna e il nonno sapevano che Rick era tornato per giocare, ma la mamma di solito era cosí occupata che Melly non riusciva a trovare l'occasione per raccontarle il segreto.

Poi Betta andò via. Questa era una fortuna, altrimenti, pensò Melly, avrebbe dovuto raccontarle di Rick. E non si chiese neppure dove fosse andata la sua amica.

Tre giorni dopo che Melly era tornata, scoppiò un violento temporale. La mamma tornò presto dal lavoro e disse che i tuoni le avevano fatto venire il mal di testa, per cui andò subito a letto. Melly rimase sola, seduta nella sua camera, a guardare i fulmini che scoppiavano improvvisi sulle cime degli alberi, nel giardinetto sul retro della casa. I tuoni erano come aerei che rombassero in cielo.

Non riuscí ad addormentarsi, per cui rimase a guardare fuori dalla finestra. Sulle prime Melly non poté credere ai suoi occhi. C'erano veramente degli aerei, non i jet moderni ma piccoli aerei da combattimento: alcuni scoppiavano in aria, altri cadevano nei giardini bui. C'erano ovunque rumori e fuoco.

Melly rimase a guardare, senza mai stancarsi.

Nella casa di Betta si accesero le luci, segno che lei doveva essere tornata dalle vacanze; ma Melly neppure se ne accorse. Adesso guardava giú nel suo giardino, dove i lampi creavano una rapidissima successione di fotogrammi luminosi e di buio, un film in bianco e nero come quelli che Rick avrebbe potuto vedere quando era ragazzo.

Nel giardino c'era un uomo, e intorno a lui danzavano le fiamme che si sprigionavano dalla fusoliera di un aereo precipitato. Alzò lo sguardo verso Melly e a un tratto sembrò molto vicino, come se stesse proprio sotto il davanzale.

«Ciao, Melly» disse l'uomo.

Melly non sapeva che dire, ma non riusciva smettere di fissarlo.

«Ti avevo avvertita» disse l'uomo «che non sarebbe stato piú lo stesso se fossi venuto a trovarti a Londra.»

«Rick» sussurrò Melly.

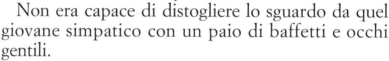

Non era capace di distogliere lo sguardo da quel giovane simpatico con un paio di baffetti e occhi gentili.

«Rick, perché...» iniziò.

«Quando abitavo a Londra ero già cresciuto» rispose Rick. «Posso essere un bambino soltanto in campagna.»

«Allora tu hai due fantasmi, zio Rick» disse Melly, quietamente.

«Sí» rispose Rick. «Ma io preferisco tornare come ero da ragazzo. È molto piú divertente.»

«Verrai a trovarmi durante le vacanze, il prossimo anno? Promettimi che lo farai!» riprese Melly.

Ma già i tuoni e i lampi stavano svanendo in lontananza e Melly non riusciva piú a vedere lo zio Rick.

«Sí, sai che lo farò» disse una voce, mentre lei si stava già infilando di nuovo dentro il letto.

Il giorno dopo Betta era ancora tutta eccitata a causa del temporale.

«Siamo arrivati a casa proprio quando era al massimo!» si vantò.

«Sí, l'ho visto» disse Melly.

Sorrise. Non le avrebbe mai detto nulla di Rick e dei suoi due fantasmi.

«Dove hai passato le vacanze?» Melly chiese a Betta. «Sei poi stata in quel posto che dicevi?»

Pensava che all'amica non potesse comunque essere capitato qualcosa di piú eccitante e straordinario di quello che era successo a lei.

«È stata una sorpresa» rispose Betta. «Non sono neppure uscita da Londra. Mia madre è andata in ospedale e io sono andata a stare da mia zia e il giorno dopo sono andata a conoscere il mio nuovo fratellino!»

«Oh, Betta!» esclamò Melly.

Era felice per l'amica, ma adesso aveva da pensare alla visita di Rick, l'estate prossima.

«E tu, Melly, hai passato delle belle vacanze?» domandò Betta.

«Oh, sí, bellissime» disse Melly.

«Non ti piacerebbe avere un fratellino?»

Melly non voleva dirle di Rick.

«Sí, vorrei tanto avere un vero fratello» rispose. Poi pensò ai fratelli di Betta e aggiunse: «Spero che il tuo fratellino da grande non diventerà come gli altri due!»

Il segreto del sacco *di Jean Chapman*

La strada stava diventando un sentiero, poco piú di un solco nel giallo terreno argilloso. Infine si restrinse e scomparve in una folta boscaglia, tra umide felci e erbe alte. Il posto odorava di vegetazione putrefatta, acqua stagnante e cose morte da lungo tempo. Norman depositò a terra il sacco che portava in spalla, un normalissimo sacco di iuta pieno a metà; poggiò la schiena contro un tronco d'albero, lasciò ciondolare la testa su una spalla e si addormentò, ragazzo solo nel bosco.

Il sole tramontò e la sera portò rapidamente, con il buio, una quiete soprannaturale. Non un uccello cantava. Non si muoveva una foglia. Non brillavano le stelle né la luna.

Le ore intanto passavano, ma Norman continuò placidamente a dormire.

Poi, quando la notte si fece piú buia, dai rami sopra la sua testa si allungarono due braccia, muovendosi lentamente, strisciando silenziosamente. Le mani erano ossute, di un candore lunare. Per un momento si agitarono sulla testa di Norman. Come se fossero indecise sul da farsi, si alzarono in cerchio con le lunghe dita bianche che si aprivano e si chiudevano. E a un tratto si strinsero intorno alla gola di Norman.

Il ragazzo lanciò un grido soffocato e, alzandosi in piedi, si aggrappò con tutte le sue forze alle mani che tentavano di strangolarlo. Riuscí a staccarsi dall'albero, ma inciampò nel sacco e le lunghe braccia lo afferrarono di nuovo. La stretta alla gola si fece ancora piú forte.

Norman era stato attaccato alle spalle, e non sapeva da chi. Le sue mani corsero al collo e incontrarono i polsi del nemico sconosciuto. Diede uno strattone a quei duri arti senz'ossa e poi, chiamando a raccolta tutte le sue forze, con una mossa di judo si fece volare al di sopra delle spalle il suo strangolatore. In quell'attimo si rese conto che l'assalitore era senza peso, come un palloncino pieno d'aria.

Le mani lo lasciarono, ma non ci fu il prevedibile tonfo di un corpo scaraventato a terra. Norman si girò di scatto, per guardare in faccia chi lo attaccava. I suoi occhi esplorarono l'oscurità, ma non vide nulla finché una specie di onda biancheggiante gli si gonfiò intorno ai piedi. Là in terra c'era qualcosa che strisciava e si lamentava.

Un ragazzo meno coraggioso avrebbe alzato i tacchi e sarebbe scappato attraverso la macchia, ma non Norman. Lui si mise le mani sui fianchi e guardò in giú con aria feroce.

«Perché hai tentato di strozzarmi?» domandò.

La cosa ai suoi piedi tremolò come un pezzo di gelatina.

Era troppo spaventata per rispondere. Norman aveva un aspetto terribile. Non si faceva la barba da una settimana (non che avesse un gran che da radersi), puzzava di carbone e di cipolle, aveva sudato ma non aveva potuto lavarsi né gli abiti né il corpo. Era troppo anche per un fantasma, e quello si ritrasse un po', soltanto per trovarsi con il lembo del lenzuolo che lo ricopriva inchiodato a terra dal tacco del ragazzo. Norman lo afferrò per le spalle.

Si aspettava di non sentire nulla, invece il fantasma, a toccarlo, era simile a una manciata di panna montata o di schiuma di sapone, solido quel tanto che era necessario per scuoterlo a dovere.

«Perché hai tentato di strozzarmi?» ripeté Norman, piú forte. «Rispondimi, razza di fantasma disossato!»

Il fantasma rabbrividí. La sua voce non era piú forte dello squittio di un topo.

«Io v… volevo co… compagnia» bisbigliò.

«Compagnia?» Norman non riusciva a crederci. «Volevi uccidermi soltanto per avere un altro fantasma che ti tenesse compagnia? Dovevo morire per questo?» gridò. «Morirò quando sarò pronto, non prima! Smetti di strozzare la gente, Ossa Secche, e sarà meglio per te.»

«Tu non puoi farmi nulla» ribatté Ossa Secche, che aveva ritrovato un po' di baldanza.

«È qui che sbagli» replicò Norman.

Prese il suo sacco e lo aprí piano, con attenzione.
«Guarda qui» ordinò, indicando il sacco al fantasma. «Che cosa ci vedi? Dimmelo!»

Il fantasma guardò cautamente dentro il sacco, e
rabbrividí. Un grido inumano squarciò il silenzio
dei cespugli bui, ma senza disturbare nessuno. Nessun gufo volò via. Nessuna lepre fuggí. Però il fantasma era ancor piú pallido di prima. Era diventato di
un bianco giallognolo e sembrava sprofondare nel
suo lenzuolo.

«Allora, che cosa hai visto?» chiese Norman.

«Un… un… un altro fantasma!» mormorò lo
spettro.

«Hai dannatamente ragione» confermò Norman.
«E tu potresti fare la stessa fine. Diventerai un pezzo della mia collezione.»

«Pietà!» implorò il fantasma. «Non chiudermi là
dentro, o mi dissolverò. Mi trasformerò in un male-
dettissimo niente di niente! Lasciami infestare il bosco ancora per una notte!»

«E va bene» accordò Norman, che era un ragazzo
di buon cuore. «Ma che cosa mi darai in cambio se
ti risparmio?»

«Lavorerò per te, notte dopo notte» balbettò l'in-
felice spettro. «Ti renderò ricco. Ricco e famoso.»

«Allora questi sono i patti» disse Norman, allun-
gando la mano e stringendo il soffice guanto del fantasma. «O mi fai diventare ricco o finisci nel sacco.»

Per non correre rischi, Norman legò un guinza-
glio al collo trasparente del fantasma e se lo tirò dietro fino alla piccola fattoria cadente che il nonno gli

aveva lasciato in eredità appena tre settimane prima.

Si misero subito all'opera. Norman lavorò tutto il giorno. Il fantasma lavorò tutta la notte. Ripulirono la terra, seminarono il grano, portarono al pascolo il bestiame. Dopo dodici settimane di lavoro i vicini, stupefatti, si chiedevano come avesse fatto Norman a ottenere simili risultati. Già, come aveva fatto?

Non molto tempo dopo Norman costruí una casa che sbalordí la gente del posto con i suoi due piani vistosi, i comignoli di mattoni, le finestre con i vetri e le porte di solido legno. Fred Smith, che viveva con la sua famiglia nella casa accanto, chiamava l'edificio "palazzo", e la fama di Norman arrivò cosí lontano che anche lo zio del fantasma ne sentí parlare. Curioso quanto può esserlo uno spettro, una sera d'inverno svolazzò fino alla fattoria per vedere lui stesso quella meraviglia.

Strisciò sui muri, da un piano all'altro e da una finestra all'altra, finché si trovò nella posizione giusta per dare un'occhiata dentro. Ossa Secche sentí un lieve rumore che lo fece allarmare.

«Cosa è stato?» mormorò.

«Nulla» decise Norman, tendendo un orecchio a quei fruscii misteriosi. «Fuori soffia un po' di vento, tutto qui. Vai a controllare che le pale del mulino non siano uscite dagli ingranaggi.»

Proprio allora lo zio vide Ossa Secche e nell'eccitazione andò a cozzare contro il vetro della finestra.

«Hai visto?» Ossa Secche, tutto tremante, si lasciò cadere su una sedia.

«Visto che?»

«La co... cosa alla fi... fi... finestra» il fantasma balbettava, quando aveva paura.

Norman guardò verso la finestra, ma quella sbagliata. Il vetro rifletteva il fuoco che ardeva nel camino. Dall'altra parte si vedeva solo il buio della notte.

«Smettila, fifone di un fantasma! Va' a controllare il mulino a vento.»

«Non mandarmi là fuori, ti prego. Io... io non posso andare. Ti prego, Norman.»

«Se non vai, femminuccia d'uno spettro, ti chiudo dentro il sacco.»

Ossa Secche si torse le mani ma andò, scivolando nella notte attraverso la porta.

Ma era appena uscito, quando lo zio lo afferrò per un lembo del lenzuolo.

«Che fai tu qui?» esclamò. «Perché non stai infestando il bosco, come è tuo dovere?»

Ossa Secche riconobbe lo zio e poco ci mancò che svenisse. Riuscí a raccontare, balbettando, come era stato catturato da Norman, e questo mandò lo zio su tutte le furie.

«Piccolo spettro smidollato» disse «nessun fantasma come si deve si lascia impaurire dalle minacce. Il ragazzo ti ha ingannato. Torna a infestare la zona che ti è stata assegnata! Terrorizza i bambini. Spaventa a morte la gente!»

«Non posso» singhiozzò Ossa Secche. «Norman mi acciufferebbe.»

«Non può farti nulla.»

«Oh, sí che può. Può chiudermi dentro quel maledetto sacco per i fantasmi. Ho visto io stesso cosa c'è in quel sacco!»

«Non ci credo. Nessun fantasma può essere imprigionato in un sacco. Adesso ci penso io, a sistemare quel Norman! Fammi vedere dov'è questo famoso sacco.»

«Sí, te lo mostrerò. È la prova dei poteri di Norman. Te lo farò vedere appena Norman si addormenterà» balbettò Ossa Secche.

Spesso Norman non andava a letto prima di mezzanotte, e come si sa quella è l'ora migliore per un fantasma che vuole entrare in azione. Sfortunatamente non erano ancora le dieci. Norman era ben sveglio, per cui lo zio suggerí di svolazzare fino alla fattoria vicina, tanto per esercitarsi un po' a terrorizzare la gente. Poco dopo i due fantasmi fecero tintinnare le finestre e rasparono contro la porta di Fred Smith.

«A cuccia, Fido!» gridò papà Smith, lanciando una scarpa attraverso la finestra aperta, contro quello che credeva fosse il suo cane.

La scarpa passò volando attraverso lo zio e andò a sbattere fragorosamente contro la tettoia della cucina. Il frastuono fece svolazzare via le galline dal posatoio e il loro strepito d'allarme svegliò mamma Smith, che immediatamente pensò a un'incursione della volpe. Afferrò il fucile appoggiato sul pavimento accanto al letto e sparò una pioggia di pallettoni attraverso la finestra, bucherellando il lenzuolo di Ossa Secche.

«Mi hanno sparato!» piagnucolò Ossa Secche.

Fluttuò in aria, sopra il tetto. Lo zio lo seguí come una scia bianca, veloce quanto il fulmine.

«Fantasmi!» ansimò mamma Smith, ricadendo sui cuscini. «Fantasmi! Ho visto i fantasmi, pa'! Fantasmi alla finestra!»

«Mettiti a dormire, ma'» bofonchiò papà Smith, tirandosi la coperta fino al mento. «Hai visto cose che non ci sono. A cena non dovresti mai mangiare formaggio e sottaceti.» *pickles?*

Intanto i fantasmi erano tornati alla fattoria di Norman. Lo zio fluttuò sul letto, mentre Ossa Secche svolazzava nervosamente attraverso le tende, per assicurarsi che il ragazzo dormisse veramente. Alla fine, un fragoroso russare rassicurò Ossa Secche, che schizzò attraverso la camera e con una aggraziata capriola si infilò sotto il letto, uscendone con il sacco in mano.

«Tutto qui?» commentò lo zio.

«Sttt!» lo ammoní Ossa Secche.

«Aprilo» sibilò lo zio.

Ossa Secche cominciò ad armeggiare con i nodi, ma il sacco non si apriva. Cosí lo zio si spazientí, glielo strappò di mano e prese a scuoterlo e sbatterlo, ma neppure questo serví a nulla. Allora scivolò sul pavimento con un tonfo che si smorzò in un rumore tintinnante.

Il sonno profondo di Norman si interruppe.

«Ti ho preso, maledetto ladruncolo!» gridò, afferrando lo zio per la gola.

Lo zio si lamentò, si divincolò, tirò da tutte le parti, poi quasi si dissolse, ma Norman lo tirò su di peso e soltanto allora si accorse che teneva un fantasma sconosciuto. Quello non era il suo!

Ossa Secche stava svolazzando intorno a lui, mormorando scuse e spiegazioni.

«È soltanto lo zio, Norman. Lascia che te lo presenti. Gli sarebbe piaciuto vedere la tua collezione.»

«La vedrà!» affermò Norman, prontamente. «Siediti qui.»

Sbatté lo zio sul letto e lo immobilizzò, legandogli i polsi con la cintura del pigiama. Poi aprí il sacco e ci infilò dentro la testa della zio, che vide ondeggiare verso di lui una brutta faccia spettrale e allampanata, color della cenere. Quando riuscí a tirarsi indietro sembrava che stesse per vomitare.

«Lavorerò per te in eterno, piú un giorno» mormorò lo zio. «Non mettermi dentro il sacco.»

«D'accordo» sorrise Norman.

Era un bravo ragazzo, ma soprattutto un ragazzo molto intelligente. Ormai era diventato la persona piú ricca della provincia, e chi mai avrebbe potuto indovinare come fosse riuscito a far fortuna tanto presto? Ovviamente la gente era molto curiosa, ma lui non aveva rivelato a nessuno la ragione della sua ricchezza.

E aveva fatto benissimo, considerato che quando il nonno gli aveva lasciato la fattoria era ancora molto giovane. A quel tempo faceva l'apprendista da un barbiere. Ma si era rivelato un pessimo barbiere, dalla mano malferma, perciò era stato un bene che avesse potuto smettere prima di tagliare la gola a qualche povero cliente.

Però, per qualche ragione, aveva conservato tutti i suoi attrezzi e li aveva messi nel vecchio sacco nascosto sotto il letto. Il sacco dunque era pieno di rasoi, forbici, pettini e di quegli specchi da pochi soldi in cui le immagini vengono riflesse sfocate e distorte, al punto che chi ci si guarda finisce per avere le vertigini.

Proprio il tipo di specchi che, in fondo al sacco, avevano mostrato a Ossa Secche e allo zio semplicemente se stessi!

"Tuttostorie" è una collana destinata ai bambini tra i 7 e gli 8 anni, che, invece di puntare solo sui testi elementari e immediatamente decifrabili in genere proposti ai lettori principianti, suggerisce a grandi e piccoli un diverso uso del libro. In ciascun volume sono infatti raccolte un certo numero di storie di lunghezza e difficoltà diverse. Le piú semplici si prestano sicuramente ad essere lette e gustate in prima persona dai bambini, mentre le piú complesse rappresentano un invito alla lettura a voce alta eseguita dagli adulti, che potranno cosí offrire ai loro figli e alunni un autentico dono, e cioè un racconto da ascoltare con la passione e l'estrema attenzione di cui solo nell'infanzia si è capaci.

Pietra miliare di una moderna pedagogia della lettura, l'abitudine di narrare e leggere ai bambini è favorita dal fatto che le antologie di Tuttostorie sono rigorosamente a tema, in modo da assecondare preferenze e gusti dei piccoli lettori.